N
GRAMADEG

GAFAEL MEWN GRAMADEG

David A. Thorne

Argraffiad cyntaf—2000

ISBN 1 85902 888 8

Argraffwyd yng Nghymru gan
Wasg Gomer, Llandysul, Ceredigion

Cynnwys

Cyflwyniad

Swyddogaeth gramadeg yw dadansoddi ac arddangos cyfluniad iaith. Er i'r pwnc hwn hudo amryw o gewri'r genedl yn y gorffennol, bu'r wyddor dan gabl yn ddiweddar. Mynegwyd cryn ansicrwydd ynglŷn â gwerth cyflwyno gramadeg ac mewn rhai ysgolion a cholegau fe'i hebryngwyd naill ai i gyrion y cwricwlwm neu ei hepgor yn llwyr.

Deil gramadeg a dysgu gramadeg yn bwnc sy'n gallu ennyn teimladau cryfion. Myn rhai y byddai cyflwyno gramadeg yn yr 'hen ddull' (law yn llaw, o bosibl, â llafarganu'r tablau a dysgu fformiwlâu mathemategol ar y cof) yn datrys problem y dirywiad honedig yn safonau addysgol y dwthwn hwn. Gall eraill ddadlau, lawn mor argyhoeddiadol, mai trychineb llwyr fyddai cynyddu cynnwys gramadegol y maes llafur mewn ysgol a choleg. Nid yw'n fwriad gennyf borthi dadleuon y naill garfan na'r llall yn y cyflwyniad hwn.

Unig amcan y gyfrol hon yw esbonio hanfodion gramadeg y Gymraeg. Ni feiddiwn geisio dechrau argyhoeddi neb fod astudio gramadeg yn ddiddorol ac yn hwyl. Y mae gramadeg yn ddiddorol dros ben a gellir cael hwyl fawr wrth ei astudio – yn fy mhrofiad hapus i ac yn fy marn bleidiol i. Gall eraill anghytuno. Yr hyn sy'n sicr yw bod gramadeg yn bwnc defnyddiol a gwerthfawr – yn gymdeithasol, yn addysgol ac o safbwynt gyrfaol; mae yn ein galluogi i gyfathrebu'n effeithiol, yn gynnil, yn glir ac yn gywir. A phwy a all feiddio anwybyddu'r fath fedrau sylfaenol yn y byd sydd ohoni?

Y mae'r Gymraeg fel pob iaith arall mewn cyflwr parhaol o newid ac y mae hynny'n golygu, wrth gwrs, fod gramadeg yr iaith yn ogystal yn newid. Yn ddiweddar defnyddiwyd y ddadl hon i geisio cyfiawnhau peidio â dysgu rheolau gramadeg yn ein hysgolion. Ond nid yw'r ffaith bod iaith mewn cyflwr parhaol o newid yn golygu nad oes dim rheolau i'w gramadeg hi; nid yw'n golygu ychwaith bod dysgu rheolau'r iaith gyfoes yn ddianghenraid. Heb gyfres o reolau mae cyfathrebu synhwyrol ac ystyrlon yn peidio'n llwyr. Mae rhwystro person rhag ennill cywirdeb yn ei iaith ei hun a'i adael heb yr arfogaeth i ddisgrifio'r defnydd o iaith a wneir gan eraill yn ei ddiffrwythloni'n ddiwylliannol ac yn gymdeithasol.

Profiadau anffodus?

Gallwn oll adrodd hanesion am brofiadau diflas ac annymunol y wers ramadeg. Gellid pentyrru ansoddeiriau sy'n crisialu agwedd a barn a rhagfarn tuag at y pwnc: 'sych', 'dibwynt', 'diawledig', '*boring*'. Dyma etifeddiaeth drist cyfundrefn addysg sydd wedi ei gorthrymu gan syniadaeth gyfeiliornus ac arferion drwg y ganrif ddiwethaf a dechrau'r ganrif hon. Maent yn werth eu cofnodi:

❒ Credid mai nod gramadeg oedd dysgu sut i labelu gwahanol rannau'r frawddeg. Gwneid hynny, yn aml, heb geisio egluro o gwbl beth oedd swyddogaeth yr elfennau a oedd yn cael eu didoli. Ond dywedid bod gwneud hynny yn 'ddisgyblaeth ddyrchafol'.

❒ Honnid bod y gallu i ddadansoddi brawddegau yn llesol i fynegiant y disgybl ar lafar ac ar bapur. Hyd yma, sut bynnag, ni allwyd cynnull tystiolaeth ddibynadwy i gadarnhau hyn. Yn wir llwyddodd amryw ddisgyblion a myfyrwyr i ddysgu rheolau gramadeg yn go llwyr ond ni welwyd gwelliant cyfatebol yn ansawdd eu llafar na'u gwaith ysgrifenedig.

❒ Mynnai'r gramadegau (traddodiadol) mai rhai gweddau ar y Gymraeg yn unig a oedd yn deilwng i'w hastudio, sef iaith ffurfiol gweithiau llenyddol o safon. Anwybyddid yn llwyr nodweddion lleol a rhanbarthol a chymdeithasol yr iaith lafar naturiol. Osgoid crybwyll nodweddion iaith darlledu, iaith llenyddiaeth boblogaidd, iaith plant ac iaith merched. Nid oedd lle, felly, i'r amrywiadau mwyaf cyffredin ar yr iaith bob dydd yn y wers ramadeg. Dyma'r union israniadau o fewn y maes ieithyddol y rhoir y pwys mwyaf arnynt erbyn hyn. Y mae, yn ogystal, bynciau a geiriau a osgoir dan amgylchiadau arbennig (yng nghwmni dieithriaid, plant, merched etc.). Pynciau gwaharddedig y gelwir pynciau o'r fath a thuedd y gymdeithas yr ydym ni'n rhan ohoni yw cynnwys pynciau megis ysgarthu neu frolio campau rhywiol ymhlith y pynciau gwaharddedig. Y mae ymwybyddiaeth o arddulliau fel hyn yn rhan o'r gynhysgaeth ieithyddol a etifeddwyd gan bob un ohonom, a'r enw ar yr amrywiol arddulliau y gellir eu dewis gennym yw **cyweiriau**. Bydd y cywair a ddewisir yn dibynnu ar nifer o ffactorau: a ydym yn dewis y cyfrwng llafar neu'r cyfrwng ysgrifenedig, ar y pwnc yr ydys yn traethu arno neu'n ysgrifennu yn ei gylch, ar amcan y cyfathrebu. Y gweithgarwch cymdeithasol sydd ar y gweill ar y pryd sy'n rheoli'r cywair a ddewisir. A chan fod y gweithgarwch cymdeithasol hwnnw'n amrywio, dewisir amrywiol gyweiriau gennym.

❒ Tybid mai swyddogaeth y gramadegydd oedd deddfu bod y naill ffurf yn gywir a chymeradwy a phob amrywiad yn llygriad neu'n anghywir. Os oedd awdur o Gymro yn troseddu yn erbyn 'cyfraith yr iawn' tybid mai dyletswydd y gramadegydd oedd ei gystwyo a sicrhau ei fod yn derbyn y cerydd cyhoeddus llymaf posibl.

'Gwybod' gramadeg neu 'wybod am' ramadeg

Y mae pawb sydd wedi cadw i ddarllen brawddegau'r Cyflwyniad hyd yma a llwyddo i'w deall, eisoes yn gwybod gramadeg yr iaith Gymraeg. Mae hyd yn oed plant o oed tyner iawn yn llwyddo i feistroli bron pob manylyn ar ramadeg y Gymraeg. Gellir profi hyn, os oes rhaid, dim ond trwy wrando ar blant ifanc yn siarad – bydd y ffurfiau a gynhyrchir ganddynt yn digwydd mewn trefn dderbyniol ac os bydd angen ychwanegu terfyniad neu newid llafariad, fe ychwanegir y terfyniad priodol a newid y llafariad briodol. Ond nid meistroli rheolau gramadeg y Gymraeg yw unig gamp plentyn ifanc; bydd yn sicr, yn ogystal, o sylwi pan fydd y rheolau hynny'n cael eu torri. Nid Cymraeg mo *Popeth melyn aur nid.* Mae pawb sy'n medru'r Gymraeg yn gwybod cymaint â hynny'n reddfol.

Ond nid yw pawb sy'n medru'r Gymraeg yn gwybod am ei gramadeg. Ystyr gwybod am ei gramadeg yw gallu disgrifio mewn dull synhwyrol a dealladwy yr hyn sy'n digwydd pan roir geiriau at ei gilydd mewn trefn arbennig. Mae'n golygu dysgu amryw dermau technegol a'u defnyddio mewn dull cwbl ddiamwys a chyson.

Pam y dylid dysgu gramadeg?

❒ Am ei fod yno ac yn un o ryfeddodau mawr y byd. Rydym yn cyson holi ynglŷn â rhyfeddodau'r byd a'i bethau ac yn awyddus i'w deall. Nid yw gramadeg y Gymraeg yn wahanol i'r un gangen arall o wybodaeth yn hyn o beth.

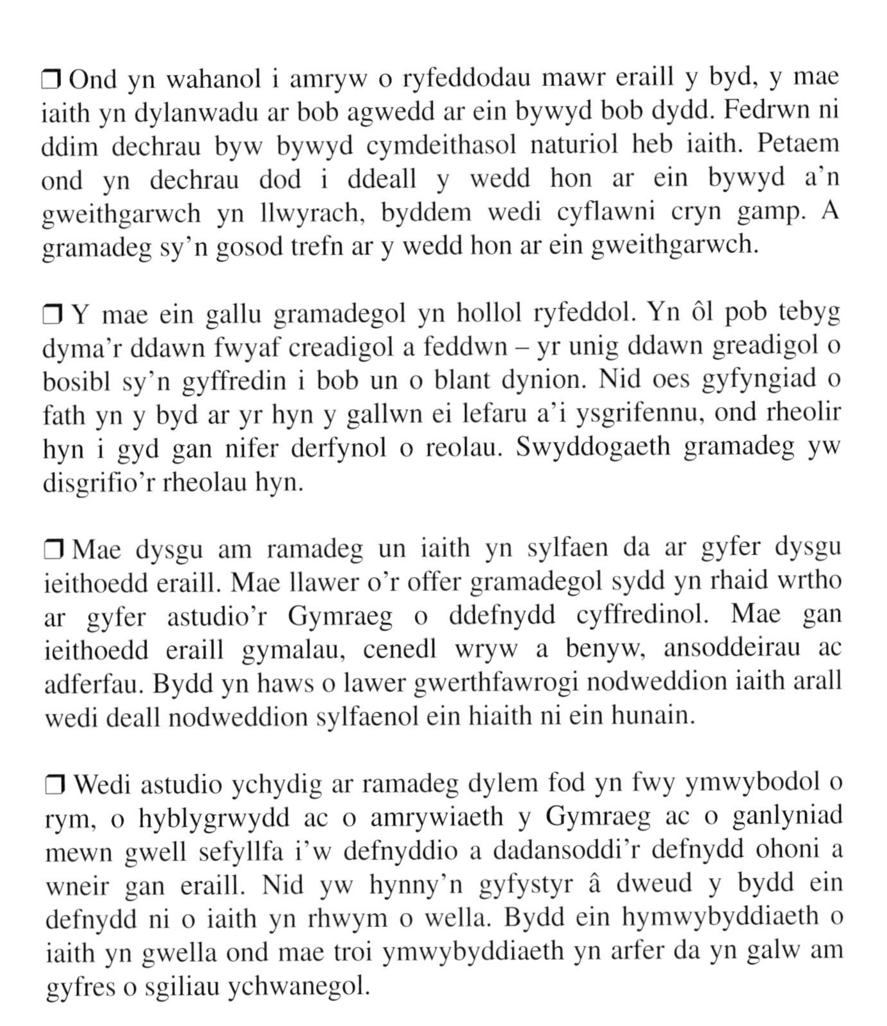

❐ Ond yn wahanol i amryw o ryfeddodau mawr eraill y byd, y mae iaith yn dylanwadu ar bob agwedd ar ein bywyd bob dydd. Fedrwn ni ddim dechrau byw bywyd cymdeithasol naturiol heb iaith. Petaem ond yn dechrau dod i ddeall y wedd hon ar ein bywyd a'n gweithgarwch yn llwyrach, byddem wedi cyflawni cryn gamp. A gramadeg sy'n gosod trefn ar y wedd hon ar ein gweithgarwch.

❐ Y mae ein gallu gramadegol yn hollol ryfeddol. Yn ôl pob tebyg dyma'r ddawn fwyaf creadigol a feddwn – yr unig ddawn greadigol o bosibl sy'n gyffredin i bob un o blant dynion. Nid oes gyfyngiad o fath yn y byd ar yr hyn y gallwn ei lefaru a'i ysgrifennu, ond rheolir hyn i gyd gan nifer derfynol o reolau. Swyddogaeth gramadeg yw disgrifio'r rheolau hyn.

❐ Mae dysgu am ramadeg un iaith yn sylfaen da ar gyfer dysgu ieithoedd eraill. Mae llawer o'r offer gramadegol sydd yn rhaid wrtho ar gyfer astudio'r Gymraeg o ddefnydd cyffredinol. Mae gan ieithoedd eraill gymalau, cenedl wryw a benyw, ansoddeiriau ac adferfau. Bydd yn haws o lawer gwerthfawrogi nodweddion iaith arall wedi deall nodweddion sylfaenol ein hiaith ni ein hunain.

❐ Wedi astudio ychydig ar ramadeg dylem fod yn fwy ymwybodol o rym, o hyblygrwydd ac o amrywiaeth y Gymraeg ac o ganlyniad mewn gwell sefyllfa i'w defnyddio a dadansoddi'r defnydd ohoni a wneir gan eraill. Nid yw hynny'n gyfystyr â dweud y bydd ein defnydd ni o iaith yn rhwym o wella. Bydd ein hymwybyddiaeth o iaith yn gwella ond mae troi ymwybyddiaeth yn arfer da yn galw am gyfres o sgiliau ychwanegol.

Defnyddio'r ramadeg hon

Cyflwyniad hylaw i ramadeg y Gymraeg yw'r gyfrol hon. Nid yw'n honni bod yn gyflawn o bell ffordd. Defnyddiwyd cynllun cyffredinol tebyg i hwnnw sydd wedi ei fabwysiadu gan amryw ramadegau a chyfeirlyfrau ieithyddol mewn amryw ieithoedd eraill ac a ddefnyddir mewn ysgolion, colegau a phrifysgolion. Y nod yw cilagor y drws yn unig a gosod, gobeithio, sylfaen gadarn ar gyfer astudio pellach.

Rhaid cydnabod ar y dechrau fel hyn na ellir cyflwyno gramadeg iaith yn un pecyn cryno rheolaidd. Mae i bob iaith ffurfiau afreolaidd; yn aml gellir dadansoddi brawddeg mewn amryw ffyrdd ac mae gwahanol ddulliau o ddadansoddi wedi esgor ar amrywiaeth o dermau gwahanol. Ceisiwyd, yn y gyfrol hon, egluro'r termau sydd yn uniongyrchol berthnasol i'r dull o ddadansoddi a fabwysiadwyd gennym wrth fynd rhagom. Bydd y disgrifiadau a'r enghreifftiau yn ddefnyddiol yn ogystal i'r rheini a fyn ymgydnabod â gweithiau gramadegol eraill, mwy uchelgeisiol o bosibl. Y nod fu egluro cysyniadau a thermau trwy nodi enghreifftiau yn hytrach na chyflwyno diffiniadau cymhleth. Weithiau, sut bynnag, bu rhaid cynnwys diffiniadau traddodiadol 'defnyddiol' er mwyn cadarnhau'r enghreifftiau. Ceisiwyd gofalu mai defnyddiol ydynt yn hytrach na chamarweiniol.

Gellir defnyddio'r llyfr mewn dwy ffordd. Yn y lle cyntaf gellir ei ddarllen o glawr i glawr fel unrhyw lyfr arall ac fe rydd hyn syniad cyffredinol ynglŷn â gramadeg yr iaith ac ynglŷn â threfniant y llyfr. Yna, yn ddiweddarach, gellir troi ato fel cyfeirlyfr elfennol. Wrth ddefnyddio'r cynnwys a'r mynegai gellir cael hyd i ystyr term neu wybodaeth ynglŷn â'i ddefnydd. Pan fydd angen rhagor o wybodaeth dylai fod yn hawdd troi at adrannau cyfatebol mewn gramadegau mwy cynhwysfawr.

Pa wedd ar iaith?

Y mae'r gwaith yn disgrifio nodweddion sylfaenol gramadeg y Gymraeg. Y mae'n ymwneud ag ystod eang o arddulliau llafar ac ysgrifenedig ac yn cynnwys gwybodaeth am arddulliau ffurfiol, anffurfiol, rhanbarthol, llenyddol ac ati. Rhoir nifer o enghreifftiau o sut y mae cysyniadau gramadegol yn berthnasol i'r iaith a welir ac a glywir o'n cwmpas bob dydd.

1 Y frawddeg

Amcan gramadeg yw egluro sut y ffurfir brawddegau iaith. Mae cysyniad y frawddeg yn gyfarwydd i ni i gyd. Cawsom ein dysgu yn blant i gyfansoddi brawddegau a'n siarsio i roi prif lythyren i'w hagor ac atalnod llawn i'w cau. Byddai rhai am honni ein bod yn siarad mewn brawddegau. Ond y gwir amdani yw ei bod hi'n anodd diffinio brawddeg, er na rwystrodd hynny amryw ramadegwyr rhag rhoi cynnig arni. Craidd y broblem yw mai creadigaeth y gramadegydd yw cysyniad y frawddeg, cysyniad disgrifiadol a ddatblygodd yn sgil llythrennedd yn hytrach nag endid naturiol.

Nid yw hyn, wrth gwrs, yn gyfystyr o gwbl â dweud na ellir disgrifio sut y ffurfir brawddegau – disgrifio patrymu'r ffurfiau a geir ynddynt. Dyna yw nod gramadeg ffurfiol.

Gellir gwneud rhai datganiadau cyffredinol ynglŷn â brawddegau'r Gymraeg.

❒ Fe'u ffurfir yn ôl rheolau arbennig. Dywedir bod brawddeg sydd wedi ei ffurfio yn ôl y rheolau hynny yn ramadegol.

❒ Gallant sefyll ar eu pennau eu hunain heb inni deimlo bod rhywbeth o'i le arnynt neu bod angen ychwanegu atynt.

❒ Dyma'r uned fwyaf y gellir ei disgrifio gan reolau gramadegol. Ni olyga hyn na all ddigwydd mewn cyd-destun ieithyddol mwy – megis y paragraff. Manylir ar unedau mwy megis paragraffau yn 82. Ac er mwyn gweld a all brawddeg sefyll yn annibynnol rhaid, fel rheol, graffu ar y rhan a gymer mewn cyd-destun mwy. Rhaid, er enghraifft, gydio'r brawddegau isod sy'n cynnwys rhagenwau (gw. 47, 48) wrth gyd-destun ehangach i'w deall yn llwyr ond ni raid i'r cyd-destun hwnnw fod yn gyd-destun gramadegol bob amser:

> *Fe yw'r cythraul.*
> *Hwn fydd y gorau.*
> *Pwy sydd wedi troseddu?*
> *Na'n twyller.*

Mae'r gyfrol hon yn disgrifio rheolau gramadeg y Gymraeg, ac yn sgil hynny yn diffinio cyfluniad neu gystrawen brawddegau.

Gramadegol, anramadegol neu ?

❒ Mae'r olyniadau isod yn frawddegau sy'n dderbyniol gan bawb. Maent yn frawddegau gramadegol:

Dechreuodd y gêm yn gynnar.
Ble'r wyt ti wedi bod?
Sgoriwyd dau gais yn ystod yr hanner cyntaf.
Cawsom eira cynta'r gaeaf.
Nid aur popeth melyn.
Mae'n ferch bert!

❒ Nid yw'r olyniadau hyn yn frawddegau derbyniol (maent yn olyniadau anramadegol ac fe'u dynodir dan sêr):

**Beth a phwy aeth hi?*
**Fy eisteddodd chwaer.*
**Dros oes mai.*
**Crwydro oedd nid yn triongl sicr.*
**Mae ble Daniel?*

❒ Ond beth am y rhain?

Dan y car.
Diawl erioed!
Simo i'n deall!
Bant â ni!
Lawr!
Paned o goffi?
Llanelli 46, Castell nedd 12.
Dewch.
Pam?

Defnyddio Brawddegau

Cawsom ein dysgu i ddechrau pob brawddeg â phrif lythyren a'i chau ag atalnod llawn. Y mae hwnnw'n arfer sy'n gyfyngedig i'r iaith ysgrifenedig yn unig, wrth gwrs, ac at hynny yn ddisgrifiad anghyflawn.

❒ Yn ychwanegol at yr atalnod llawn rhaid inni ganiatáu'r gofynnod (?) a'r ebychnod (!):

Sut aeth hi yn Iwerddon?
Beth mae hi'n ei wneud?
Ble mae'r gath?
Ydych chi'n oer?
O na bawn i'n gallu aros!
Dyna hen dro gwael!

❒ Gall olyniad heb atalnodau o gwbl ffurfio brawddeg gwbl dderbyniol. Mae'n arferol hepgor atalnodau o hysbysebion, o benawdau papurau newyddion, o arwyddion cyhoeddus:

Ymchwiliadau'n parhau i ddamwain bws

COFIWCH DDOD I GEFNOGI GWAITH YR UNDEB

Hysbysebwch yn
y FANER NEWYDD

❒ Ceir anghytuno brwd weithiau ynglŷn â sut yn union y dylid atalnodi testun llenyddol. Honna rhai na ddylid gorffen brawddeg o flaen cysyllteiriau megis *a*, neu *ond* (gw. 74). Barn eraill yw bod hynny'n berffaith dderbyniol.

Mae'n anos o lawer didoli brawddeg mewn darn o lafar naturiol. Mewn llafar naturiol, defnyddir geiriau megis *a(c)* yn fynych ac y mae'n anodd i'r gramadegydd benderfynu lle y mae'r naill frawddeg yn cychwyn a'r llall yn gorffen.

Adysgrifio llafar naturiol
Gan mai llafar naturiol a adysgrifir yma, nid oes priflythrennau. Dynodir saib gan yr arwydd -; uned oslefol gan /.

twm siôn cati / – mae e wedi bod yn byw / wy di gweld i birth certificate e / – buodd e'n faer o brecon un amser medden nw wrtho i / a odd e'n moen priodi'r ferch odd yn byw ma / – catherine / – merch i'r maude devereux ma / – mae'n debyg / – a odd e wedi myn lan i'r ffenest i galw i mas o'r gwely rw nosweth/ – odd i'n pallu dod mas ato fe...

odd y gwys gynta dorres i'n anniben iawn / – odd yr arad yn dod mas o'r tir weithie / a pryd arall odd e'n mynd yn rhy ddwfwn arno i / – dodd i ddim yn debyg i gwys a dweud y gwir / – odd llawer o las yn y golwg / – ond gyda'r cyfarwyddo / fe ddes i galler troi cwys weddol deidi ta beth...

hen dai allan oedd na / – stable pan on i'n hogyn / – bues i'n tritio gwartheg a phethe felna / – a teirw/ – coach house ydy i enw fo rwan / – a fana oedd e'n cadw'r ceffyle a'r goets / dach weld ynte / – cofiwch bod blydi saeson yn byw yn rain i gyd rwan...

mae i wraig wedi madel ag e / – wedi mynd off da rwyn arall / – dim gwerth ddyn nw briodi nawr / – madel a'i gilydd o yd / – man nw'n priodi / a ma gwely shingel / – mae e ry fowr ddyn nw /- mewn blwyddyn / ma gwely dwbwl ry fach ddyn nw...

Adysgrifiwyd o'r Archif o Dafodieithoedd Dyfed yn Adran y Gymraeg Prifysgol Cymru Llanbedr Pont Steffan

Mae olyniadau o'r math hyn yn gyffredin ddigon ac yn anochel mewn llafar naturiol digymell. Mewn sefyllfa ddigymell nid oes cyfle i baratoi'n fanwl ymlaen llaw, i ystyried a chaboli ac ail-wampio a golygu'n derfynol. Mae i olyniadau llafar felly gyfluniad gwahanol iawn i gyfluniad brawddegau ysgrifenedig.

2 *Mathau o frawddegau*

Y mae bwrw golwg fras dros dudalennau darn o nofel, neu gylchgrawn neu bapur newydd yn ddigon i ddangos bod gan frawddegau'r Gymraeg amryw ffurfiau ac amrywiol batrymau. Y mae'n llai amlwg, sut bynnag, fod modd dosbarthu brawddegau yn brif frawddegau ac yn frawddegau un-elfen.

Prif frawddegau

Perthyn y rhan fwyaf o lawer o frawddegau'r Gymraeg i'r dosbarth hwn. Y mae pob brawddeg a geir yn y llyfr hwn, er enghraifft, yn brif frawddeg – ac eithrio ryw ddyrnaid o frawddegau enghreifftiol a'r penawdau uwchben adrannau a phenodau. Y mae prif frawddegau'n rhannu'n hwylus yn gadwyn o elfennau penodol megis:

Clywodd	*fy ngwraig*	*y gog*	*eleni.*
Gwelodd	*Lynwen*	*y paun*	*ar lawnt y plas.*
Collodd	*John*	*ei galon*	*iddi hi.*

Cymalau

Mae sôn am brif frawddeg fel uned ramadegol sy'n cynnwys 'cadwyn o elfennau penodol' yn ymadroddi blêr; arferir y term **cymal** mewn gramadegau gan amlaf. Creffir ar amrywiol gymalau ac ar yr elfennau yng nghyfansoddiad cymalau yn 3.

Brawddegau syml a brawddegau cyfansawdd

Ystyrier un gwahaniaeth elfennol rhwng y ddwy frawddeg isod:

Gwelais y fuwch yn y beudy.
Gwelais y fuwch yn y beudy a gwelais y llo yn y beudy.

Mae'r un patrwm yn union yn digwydd ddwywaith o'r bron yn yr ail frawddeg (ac eithrio'r amrywio rhwng *buwch* a *llo*). Petaem yn dewis ychwanegu at amrywiaeth y creaduriaid yn y beudy – llygoden, tarw, ceiliog, mochyn, cath – gellid estyn hyd y frawddeg trwy ychwanegu *a(c)*........*a(c)*........*a(c)*.......neu ryw gysylltair arall (gw. 74) ynghyd â'r cymal sylfaenol.

Gall brawddegau, felly, naill ai gynnwys un cymal neu fwy nag un cymal. Gelwir brawddeg sy'n cynnwys un cymal yn **frawddeg seml**. Gelwir brawddeg y gellir ei dadansoddi'n ddiffwdan yn fwy nag un cymal yn **frawddeg gyfansawdd**.

Gellir egluro'r gwahaniaeth rhwng brawddeg seml a brawddeg gyfansawdd ymhellach trwy gyfeirio at amlinell:

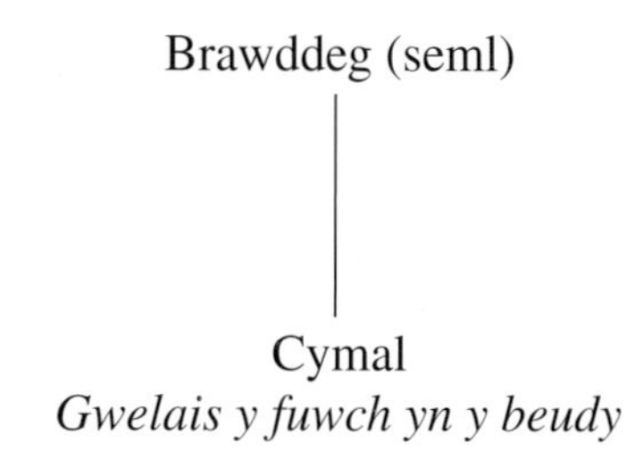

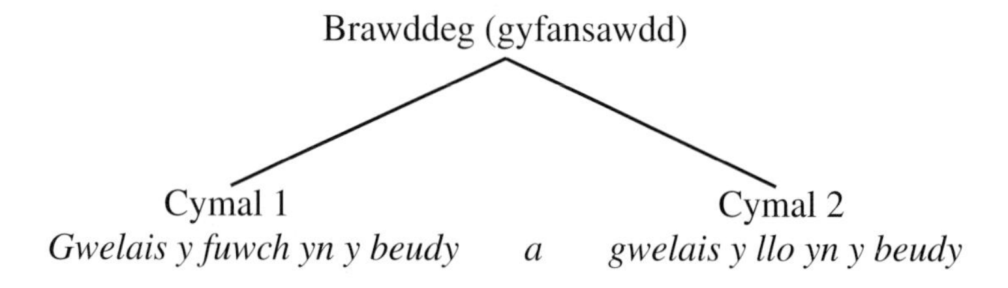

Manylir ymhellach ar frawddegau cyfansawdd yn 73.

Mae gan y cymalau mewn brawddeg gyfansawdd fel hyn yr un statws yn union, maent yn gymalau neu'n frawddgau cydradd a gall y naill neu'r llall ohonynt sefyll ar eu pennau eu hunain yn ddwy frawddeg seml, annibynnol wedi eu cysylltu gan gysylltair cydradd (gw. 74), er nad oes raid wrth gysylltair cydradd bob amser:

Daeth y gwanwyn, fe ddaw'r haf.
Mae'n fore, daw'n brynhawn.

Nid yw'r cymalau yn y brawddegau isod, sut bynnag, yn gydradd:

Gwelais y fuwch pan agorwyd drws y beudy

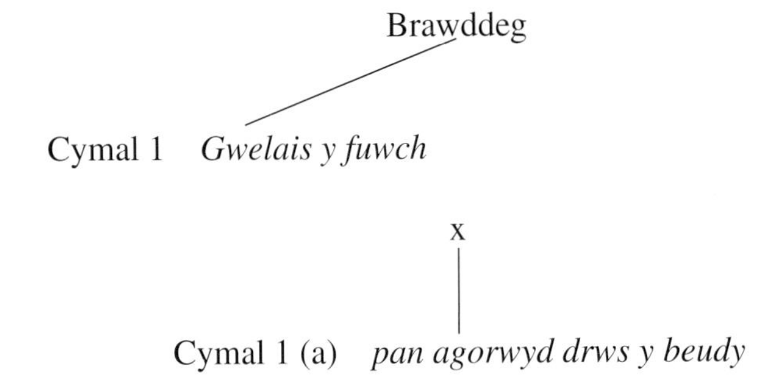

Dyma ail enghraifft:

Gwelais y fuwch oherwydd yr oedd yn y beudy

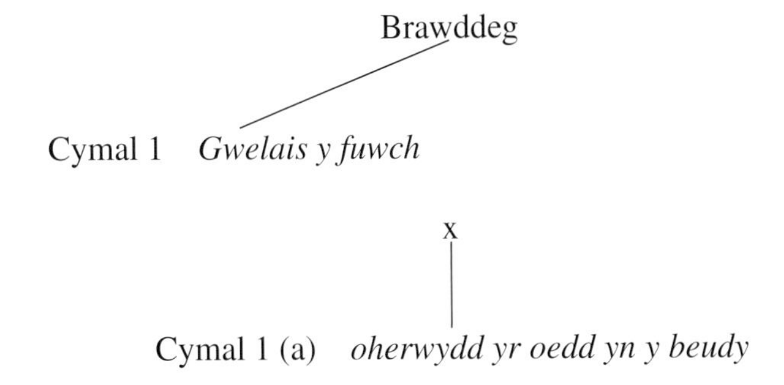

Mae cymal 1 (a) yn y naill enghraifft a'r llall yn llwyr ddibynnol ar gymal 1. Ni all cymalau 1 (a) sefyll ar eu pennau eu hunain, maent felly'n **gymalau isradd** neu'n **gymalau dibynnol**.

Manylir ar gymalau isradd yn 75. Gelwir brawddeg sy'n cynnwys brawddeg seml ac un neu ragor o gymalau neu o frawddegau dibynnol yn **frawddeg gymhleth**. Manylir ymhellach ar frawddegau cymhleth yn 73.

Brawddegau un-elfen

Ni ellir rhannu brawddegau un-elfen yn gadwyn o elfennau amlwg fel y gwneir yn achos prif frawddegau. Mae goslef a thôn y llais yn rhan hanfodol o batrwm y frawddeg un-elfen. Mae'n bwysig cadw mewn cof, hefyd, mai brawddeg sy'n cynnwys un elfen neu un uned oslefol yw hi ac nid, o anghenraid, frawddeg sy'n cynnwys un gair. Clywir brawddegau un-elfen yn aml mewn sgwrs bob dydd ac fe'u defnyddir, yn ogystal, wrth ddynodi sgwrs mewn ysgrifen.

Rhai mathau o frawddegau un-elfen

❒ Cyfarchion cyffredin.
Helo. Sut mae? Diolch. Hwyl! Bore da.

❒ Olyniadau yn mynegi teimlad neu agwedd.
Twt-twt! Da iawn! Trueni! Glaw? Tân! Priodas dda. Can diolch.

❒ Olyniadau yn datgan ymateb cadarnhaol neu negyddol.
Wrth gwrs. Debyg iawn. Efallai. Iawn. Ie. Nage.

❒ Cyfarwyddiadau.
Gosteg! Gan bwyll. Yn ara' deg. Ust! Nôl â hi. Ar unwaith.

❒ Gorchmynion.
Dos. Dewch. Rhoddwch. Paid. Codwch.

Defnyddio brawddegau un-elfen

Mae brawddegau un-elfen yn gyffredin mewn hysbysebion, penawdau, arwyddion:

> *Y CYMRO* . MYNEDFA . DIHANGFA DÂN. ADRAN Y GYMRAEG . PERYGL . BAR . YSTAFELLOEDD NEWID . CAMPFA . *GAFAEL MEWN GRAMADEG* . AR WERTH . LLYFRGELL . *GOLWG* . *BARN* . RHYBUDD . PRIFYSGOL CYMRU LLANBEDR PONT STEFFAN . *Y FANER NEWYDD* . GOFAL .

3 *Elfennau'r Cymal*

Y mae pob cymal yn cynnwys **elfennau**. Gwelwyd eisoes (gw. 2) mai 'cadwyn o elfennau penodol' yw cymal. Ac mae i bob elfen ei briod waith yng nghyfluniad y cymal. Gall hyd at bedair elfen ddigwydd mewn cymal cyffredin ac fe'u henwir yn ôl y swyddogaeth a gyflawnant. Mae'r pedair elfen yn digwydd yn y frawddeg hon:

Mwynhaodd	*y ci*	*asgwrn*	*heddiw.*
1	2	3	4

❒ **Traethiedydd (T)** neu elfen ferfol yw'r elfen gyntaf. Defnyddir yr elfen ferfol i ddynodi ystod eang o ystyron megis traethu am weithred neu deimlad neu gyflwr. Manylir ymhellach ar yr elfen hon yn 15.

❒ **Goddrych (G)** yw'r ail elfen ac yn draddodiadol dywedir ei bod yn dynodi'r un neu'r peth sy'n cyflawni'r weithred a fynegir gan y traethiedydd mewn brawddeg neu gymal, neu sy'n goddef y weithred. Gellir didoli'r goddrych yn y frawddeg enghreifftiol uchod trwy ofyn pwy neu beth sy'n cyflawni'r weithred.

Pwy sy'n mwynhau? Pwy a fwynhaodd?

Ateb: y ci.

Dyma ddiffinio'r creadur sydd dan sylw. Y ci yw goddrych y ferf mwynhaodd yn y frawddeg enghreifftiol. Manylir ymhellach ar yr elfen hon yn 16.

❒ **Dibeniad (D)** yw'r drydedd elfen ac yn draddodiadol dywedir ei bod yn gallu cyfeirio at bwy neu at beth y bydd gweithred y traethiedydd yn ymestyn ymlaen. Gellir didoli'r dibeniad yn y frawddeg enghreifftiol trwy holi at bwy neu at beth yr ymestyn y gweithgarwch. Gellir, yn ogystal, droi'r traethiedydd yn amhersonol (gw. 29) a holi pwy neu beth o flaen y ffurf honno.

Beth a fwynhawyd?

Ateb: asgwrn.

Dyma ddynodi'r hyn y mae gweithred y traethiedydd yn ymestyn ymlaen ato. Asgwrn yw'r dibeniad yn y frawddeg enghreifftiol. Manylir ymhellach ar yr elfen hon yn 17.

❐ **Adferf (A)** yw'r bedwaredd elfen. Mae'r elfen adferfol gan amlaf yn ychwanegu at ein gwybodaeth trwy gyfeirio at adeg y weithred (fel yn y frawddeg enghreifftiol) neu amlder ei digwyddiad. Manylir ar swyddogaethau adferfol eraill yn 18, 53-63, 75-77.

Mae'r frawddeg enghreifftiol a nodwyd gennym ar ddechrau'r bennod hon (sef *Mwynhaodd y ci asgwrn heddiw*) yn dangos nad yw un elfen mewn brawddeg yn gyfystyr ag un gair o anghenraid. Mae'r brawddegau isod yn cynnwys traethiedydd a goddrych a dibeniad ond sylwer bod nifer y geiriau sy'n sylweddoli'r elfennau yn amrywio:

Traethiedydd	**Goddrych**	**Dibeniad**
Saethodd	*John*	*aderyn*
Gwleodd	*yr hen ddyn*	*saith merch brydferth*
Cododd	*y morwyr a oedd ar fwrdd y llong*	*eu dwylo*
Cyflwynai	*y tystion*	*eu tystiolaeth*
Teilyngai	*'r holl weithwyr*	*gyflog teg*

Yn yr enghreifftiau uchod sylweddolir y traethiedydd gan ferf seml (gw. 20).

Treiglir y dibeniad yn dilyn berf seml pan ddigwydd heb y fannod neu air arall o'i flaen, yn syth ar ôl naill ai'r ferf, neu berf + rhagenw ategol, neu'r goddrych (gw. Atodiad 1):

Teilyngai ***gyflog*** *teg*
Teilyngai hi ***gyflog*** *teg*
Teilyngai'r gweithwyr ***gyflog*** *teg*

Mewn ysgrifennu tra ffurfiol ceir enghreifftiau prin o dreiglo goddrych *oes* ac *oedd* (gw. Atodiad 1) :

Nid oes rithyn o wirionedd yn y cyhuddiad
Nid oedd fenyn ar y bara

Pan sylweddolir y traethiedydd gan ferf gyfansawdd neu ferf gwmpasog, ys gelwir hi hefyd, (gw. 20) bydd y goddrych yn rhannu dwy elfen y ferf gyfansawdd:

Traethiedydd + Goddrych	**Dibeniad**
Mae John wedi saethu	*aderyn*
Roedd yr holl weithwyr yn teilyngu	*cyflog teg*
Dyna'r tystion yn cyflwyno	*eu tystiolaeth*

Mewn rhai brawddegau cymhleth (gw. 73) gellir sylweddoli rhai elfennau yn y cymal gan gymal cyfan arall. Er enghraifft yn y brawddegau isod,

Credaf y bydd yn ennill ei gap cyntaf
Dywedodd ei fod wedi paratoi

ceir, o holi 'Beth a gredaf/gredwyd?', 'Beth a ddywedodd/ddywedwyd?' gymal isradd (gw. 73) o ddibeniad (gw. 17).

Gelwir y cymalau isradd uchod yn gymalau enwol. Manylir ar gymalau enwol yn 79.

> Er nodi pedair elfen yn y cymal, gellid ychwanegu pumed elfen sef yr elfen gyfarchol (gw. 19) a chweched elfen yn ogystal sef atodyn neu gynffon (gw. 6). Elfennau dewisol yw'r elfennau hyn.

4 *Mathau o gymalau*

Gall elfennau'r cymal amrywio o ran eu trefn. Dyma rai cyfluniadau sy'n arddangos elfennau'r cymal.

T: traethiedydd, G: goddrych, D: dibeniad, A: elfen adferfol

- ❒ T + G — *Gwenodd / John.*
- ❒ T + G + A — *Gwenodd / John / arni.*
- ❒ T + G + D — *Agorodd / John / y drws.*
- ❒ T + G + D + A — *Prynodd / John / y car /ddoe.*
- ❒ D + T + G — *Cyfaill da / yw / John.*
- ❒ D + T + G + A — *Cyfaill da / fu / John / ar hyd yr adeg.*

Mae'r elfen adferfol yn wahanol i'r elfennau eraill yng nghyfluniad y cymal oherwydd gall yr elfen hon ddigwydd sawl gwaith.

Canai	*Gwilym*	*yn swynol*	*yn y gyngerdd*	*neithiwr.*
T	G	A	A	A

Yna	*sibrydiodd*	*Gwilym*	*yn dawel.*
A	T	G	A

Y mae pob A yn y ddwy frawddeg uchod yn elfennau **dewisol** ac yn cynnig gwybodaeth ychwanegol ynglŷn ag amser neu le neu ddull. Gellir hepgor un A neu fwy nag un A o'r brawddegau a deil y brawddegau yn ramadegol. Dynodir elfennau dewisol o'r fath o fewn cromfachau: TG(A)(A)(A), (A)TG(A).

5 *Gosodiadau*

Mae pob cymal enghreifftiol a nodwyd yn 3 yn **osodiad**. Prif amcan brawddeg sy'n osodiad yw cyflwyno gwybodaeth neu fynegi ffaith. Dyna a wna'r brawddegau hyn:

Brawddegau berfol cyffredin neu normal (gw. 10)

Saif yr eglwys ar lan y môr.
Cyraeddasom y gwaelod.
Yfwyd y gwin.
Ni ddywedasant ddim wrth neb.
Llwyddodd Geraint yn anrhydeddus.
Mae Rhys wedi llwyddo.
Nid yw hi'n bwrw glaw.

Brawddegau berfol annormal (gw. 11)

Ei ddisgyblion a ddaethant ato.
Job a atebodd ac a ddywedodd.
Chwi welwch fy mhwynt.
Ti wyddost y gwir.

Brawddegau berfol cymysg (gw. 12)

Afon Teifi a orlifodd ei glannau.
Astudio yn y llyfrgell y bydd hi heno.
Ci sydd wedi lladd y defaid.
Ddoe y gweithiodd.
Mor swynol y canai hi'r delyn.
Nid ci sydd wedi boddi yn y llyn.

Brawddegau berfol cypladol (gw. 14)

Mae John yn gyfaill da.
Cyfaill da yw John.
Cyfaill da ydyw.

Na yw na.
Roedd Catrin yn hardd.
Dibwynt fu'r cyfan.
Cythraul wyt ti.
Nid angel yw hi.
Nid oedd Siôn yn llwyddiannus.

Brawddegau enwol pur (gw. 13)

Hardd pob newydd.
Hir pob aros.
Deuparth gwaith ei ddechrau.
Nid aur popeth melyn.
Nid twyll twyllo twyllwr.

Amrywiad ar gyfluniad y frawddeg enwol bur a geir mewn gwedd ar gyfluniad y frawddeg ferfol gypladol, er enghraifft,

Hardd pob newydd (*Hardd yw pob newydd*	Brawddeg enwol bur yw'r frawddeg ferfol gypladol gyfatebol)
Nid twyll twyllo twyllwr (*Nid twyll yw twyllo twyllwr*	Brawddeg enwol bur yw'r frawddeg ferfol gypladol gyfatebol).
Castell pawb ei dŷ (*Castell pawb yw ei dŷ*	Brawddeg enwol bur yw'r frawddeg ferfol gypladol gyfatebol)

Modd Mynegol (gw. 26) y ferf a ddefnyddir fel rheol mewn gosodiad.

6 *Cwestiynau*

Mae cwestiynau yn frawddegau sy'n hawlio gwybodaeth neu sylw. Gellir gwneud un dosbarthiad posibl yn ôl yr ateb a ddisgwylir ac yn ôl sut yr holir y cwestiwn. Dywedir bod brawddegau fel hyn yn **ofynnol**.

❒ Brawddegau sy'n disgwyl naill ai ateb cadarnhaol neu ateb negyddol ac a gyflwynir naill ai gan y geiryn gofynnol *a*, neu gan y geiryn gofynnol *ai*, neu gan y geiryn gofynnol *oni*:

A wyf i'n euog o dwyllo?
A oes car coch o flaen ei dŷ?
A ganodd Gwilym?
A gaf i aros am ychydig?
A wnei di ddod gyda mi?
A ddarllenwch chi?
A gyrhaeddan nhw mewn pryd?
A all hi ddod ar y bws?

Dilynir y geiryn gofynnol *a* gan y ferf a cheir treiglad meddal (gw. Atodiad 1) yng nghytsain flaen y ferf.

Collir y geiryn gofynnol *a* yn gyffredin yn enwedig mewn cywair anffurfiol:

Ydych chi wedi bod yn yfed?
Oes lle i bawb?
All hi ddod draw heno?

Ar lafar defnyddir goslef gwestiynol heb y geiryn, ond fel rheol cedwir y treiglad mewn cytsain sy'n gallu treiglo:

Ddarllenon nhw'r papur?
Fydd hi yno?
Orffennwyd y gwaith?

Ai arwydd o gadernid yw'r ymgyrchu brwd?
Ai ti yw Elias?
Ai mewn heddwch yr wyt yn dod?
Ai yn yr ysgol y mae hi heno?
Ai ar wyliau y byddwch chi?
Ai ti sy'n gyfrifol?

Gall unrhyw ran ymadrodd ac eithrio berf ddilyn y geiryn gofynnol *ai*.

Gellir hepgor *ai* mewn cywair anffurfiol:
Llaeth sydd yn y cwpan?

Ar lafar gellir hepgor *ai* ond cedwir goslef gwestiynol:
Ti sy'n achwyn?
Yn y caffi y bydd hi?

Gall yr atodyn (neu'r cynffon) *ai e* ddilyn gosodiad a'i droi'n ofynnol:
Ti yw John Evans, ai e?
Drama oedd yn yr ysgol heno, ai e ?

Gall *Ai e?* ddigwydd yn ofynnol a chyfleu syndod neu amheuaeth:
Dyma dy waith gorau di. Ai e?

Ar lafar yn y de gellir cynrychioli *ai e* gan *i(e)fe*:
Nid dyna oedd ei ateb, iefe?

Oni chlywsoch chi'r gog?
Oni fyddai'n well i ni ddychwelyd?
Onid hwn yw'r saer?
Onid oes coffi ar ôl?
Onid yn y gwaith y maen nhw?

Pan fydd berf yn dilyn *oni, onid*, dewisir *oni* o flaen cytsain, *onid* o flaen llafariad; treiglir *c, p, t* yn llaes a threiglir *g, b, d, m, ll, rh* yn feddal yn dilyn *oni* (gw. Atodiad 1). *Onid* a ddigwydd o flaen pob rhan ymadrodd arall.

Gall yr atodyn (neu'r cynffon) *Onid e?* ddilyn gosodiad a'i wneud yn ofynnol:
Dyna i chi gyd-ddigwyddiad onid e?

Mewn cywair llai ffurfiol cynrychiolir *onid e?* gan *ynte?, ynde? 'te? 'de? yntefe?, ontefe? 'tefe?:*
Dyna'r gwir amdani ynte?

❒ Brawddegau sy'n caniatáu ateb o blith dewis eang o bosibiliadau:

Pwy sy'n galw i'n gweld ni heno?
Pa effaith gafodd dy bregeth di?
Beth sy'n dy boeni di?
Pryd y gwelaist hi ddiwethaf?
Ble'r wyt ti'n cuddio?
Pam nad yw'r berth yn llosgi?
Paham y sefi di fan hyn?
Sut y medraf i fynd?
Sawl gwaith wyt ti wedi ei gweld hi?

❒ Brawddegau sy'n hawlio ateb o blith y dewisiadau a gynigir gan y frawddeg ei hun. Mewn brawddegau o'r fath, cyflwynir y posibilrwydd cyntaf gan y geirynnau gofynnol *a, ai*, a'r ail bosibilrwydd gan y cysyllteiriau cydradd *neu(ynteu), ynteu*: (gw. 74):

Ai gyda ni, ynteu gyda'n gwrthwynebwyr yr wyt ti?
A wyt ti'n dod neu wyt ti'n aros?
A fydd hi'n canu neu ynteu'n adrodd yn yr eisteddfod?

Gall *ai peidio, neu beidio* ddisodli'r ail gwestiwn a gyfleir gan yr ail gymal cydradd (gw. 73):

A wyt ti'n dod neu beidio?
A yw ef wedi cloi'r drws ai peidio?
A fyddant hwy'n canu ai peidio?

Mewn cywair anffurfiol ac ar lafar defnyddir atodynnau megis *o'r gorau, iawn, reit* ar ddiwedd gosodiad i'w droi'n ofynnol:

Mae pawb i gyrraedd erbyn pump, o'r gorau?
Cofia ddod â'r bêl gyda ti, iawn?
Welwn ni chi o flaen y siop, reit?

Mae holl gwestiwn y defnydd a wneir o atodynnau yn yr iaith lafar yn gymhleth; yn aml iawn gall yr ateb a ddisgwylir fod ynghlwm wrth batrwm goslefol y frawddeg a'r atodyn. Er enghraifft, yn y brawddegau isod disgwylir ateb cadarnhaol pan yw patrwm goslefol y frawddeg a'r atodyn yn disgyn; ar y llaw arall pan yw patrwm goslefol y frawddeg a'r atodyn yn codi, gellir disgwyl naill ai ateb cadarnhaol neu negyddol:

Fe ddarllenon nhw'r llythyr, on'do fe?
Mae hi'n dod heno, on'd yw hi?
Ddarllenon nhw ddim mo'r llythyr, naddo fe?
Welith pawb y ffilm, 'yn gneith?

Yn y gyfres nesaf, disgwylir ateb negyddol pan yw patrwm goslefol y frawddeg a'r atodyn yn disgyn:

Dyw e ddim yn dod heno, ydy e?
Welith mo pawb y ffilm, na neith?

Pan yw patrwm goslefol y frawddeg yn codi, gellir disgwyl naill ai ateb cadarnhaol neu ateb negyddol.

Cwestiynau ebychiadol

Gall rhai brawddegau ymdebygu i gwestiynau o ran eu ffurf a'u cyfluniad ond fe'u defnyddir fel ebychiadau (gw. 9). Cynrychiolant farn bendant y siaradwr a hawliant gydsyniad y gwrandawr:

Onid yw hi'n oer!
Onid oedd hi'n smart!
Onid oedd y bwyd yn flasus!

Cwestiynau rhethregol

Y mae'r rhain yn ogystal yn ymdebygu i gwestiynau o ran eu ffurf a'u cyfluniad, ond yn hytrach na hawlio gwybodaeth fe'u defnyddir fel petaent yn osodiadau pwyslais. Nid yw'r siaradwr/holwr yn disgwyl ateb:

Pam lai?
Sut mae disgwyl iddo ddeall?
Beth allan nhw ei ddweud?
Pryd gwelodd hi ben draw'r ffwrn?

Cwestiynau anuniongyrchol

Y mae cwestiynau anuniongyrchol yn adrodd yr hyn a holwyd gan rywun arall, ond heb ddefnyddio'r union eiriau a ddefnyddiwyd gan y siaradwr hwnnw:

Holodd Rhys a oedd modd iddo fenthyca pumpunt.
Mae hi wedi gofyn a ydych chi'n barod.
Mae John yn holi o ble y daw'r arian.
Holodd Gwen faint oedd wedi cystadlu.
Fe holaf a ydyn nhw i gyd yn gymwys.

Gw. hefyd 81.

> Ar lafar clywir *a* yn gyffredin mewn cwestiwn uniongyrchol ac anuniongyrchol.
>
> Ar lafar yn y de clywir cyflwyno'r cwestiwn anuniongyrchol gan y cysylltair *os*:
>
> *Maen nhw'n holi os yw'r siop ar agor.*

7 *Atebion*

Mae'r ateb a roir i gwestiwn yn dibynnu'n union ar gyfluniad gramadegol y cwestiwn hwnnw. Pan yw'r traethiedydd yn ferf seml (gw. 20) nad yw yn yr amser gorffennol (gw. 28), mae'r ateb yn gallu ailadrodd ffurf ferfol y cymal gofynnol ond yn gwneud cyfnewidiadau priodol parthed person a rhif. Y geirynnau gofynnol yw *a* ac *onid* (gw. 6). Dynodir y negydd gan *na*, *nac*; dewisir *na* o flaen cytsain, *nac* o flaen llafariad. Mae *na* yn treiglo *c, p, t* yn llaes (gw. Atodiad 1) a *g, b, d, m, ll, rh* yn feddal (gw. Atodiad 1). Mae cwestiwn a gyflwynir gan *oni(d)* yn disgwyl ateb cadarnhaol yn yr iaith ysgrifenedig.

Gosodiad	*Gellwch chi ddarllen.*
Cwestiwn	*A ellwch chi ddarllen?*
	Oni ellwch chi ddarllen?
Ateb	*Gallaf.*
	Na allaf.

Gosodiad	*Yr oedd hi yno.*
Cwestiwn	*A oedd hi yno?*
	Onid oedd hi yno?
Ateb	*Oedd.*
	Nac oedd.

Sylwer nad ailadroddir *yr* yn y cwestiwn na'r ateb yn yr ail enghraifft uchod.

Gosodiad	*Daw'r llythyr heddiw.*
Cwestiwn	*A ddaw'r llythyr heddiw?*
	Oni ddaw'r llythyr heddiw?
Ateb	*Daw.*
	Na ddaw.

Gosodiad	*Caiff hi fynd i'r ffair.*
Cwestiwn	*A gaiff hi fynd i'r ffair?*
	Oni chaiff hi fynd i'r ffair?
Ateb	*Caiff.*
	Na chaiff.

Gosodiad	*Gweithiwn ni.*
Cwestiwn	*A weithiwn ni?*
	Oni weithiwn ni?
Ateb	*Gweithiwn.*
	Na weithiwn.

Ac eithrio mewn cywair tra ffurfiol un o ffurfiau *gwneud* a ddewisir i sylweddoli'r traethiedydd yn yr ateb:

Gosodiad	*Darllenwch chi.*
Cwestiwn	*A ddarllenwch chi?*
	Oni ddarllenwch chi?
Ateb	*Gwnaf.*
	Na wnaf.

Ni all berfau megis *bod, gallu, medru, cael, dylai,* sut bynnag, ddewis ffurfiau *gwneud* ar gyfer atebion. Ailadroddir y rhain mewn atebion:

Cwestiwn	*A fedri di ddod?*
	Oni fedri di ddod?
Ateb	*Medraf.*
	Na fedraf.

Cwestiwn	*A ddylai hi gael canu?*
	Oni ddylai hi gael canu?
Ateb	*Dylai.*
	Na ddylai.

Ychydig iawn o ferfau cryno sy'n cael eu hailadrodd mewn atebion mewn gwirionedd. At y rheini a nodwyd uchod rhaid ychwanegu *mynd, dod, gwneud* ac o bosibl *gweld, clywed* a *gwybod*. Ar lafar, sut bynnag, clywir yn aml ffurfiau *gwneud* gyda phob un o'r rhain ac eithrio *gwybod*:

Cwestiwn	*Ewch chi heno*?
Ateb	*Af / Gwnaf.*
	Nac af / Na wnaf.
Cwestiwn	*Ddaw Mair*?
Ateb	*Daw / Gwnaiff.*
	Na ddaw / Na wnaiff.
Cwestiwn	*Weli di fe*?
Ateb	*Gwelaf / Gwnaf.*
	Na welaf / Na wnaf.
Cwestiwn	*Wyddet ti hynny*?
Ateb	*Gwyddwn.*
	Na wyddwn.

Pan sylweddolir goddrych y gosodiad a'r cwestiwn gan enw, bydd y traethiedydd yn y 3ydd person unigol; ond rhaid i'r ateb gytuno o ran person a rhif â'r enw (gw. 28) sy'n sylweddoli'r goddrych:

Gosodiad	*Bydd y plentyn yno.*
Cwestiwn	*A fydd y plentyn yno*?
	Oni fydd y plentyn yno?
Ateb	*Bydd.*
	Na fydd.
Gosodiad	*Bydd y plant yno.*
Cwestiwn	*A fydd y plant yno*?
	Oni fydd y plant yno?
Ateb	*Byddant.*
	Na fyddant.

Yr un patrwm cyffredinol a ddilynir gan y ferf gwmpasog (gw. 20) ond ffurfir yr ateb gan un o ffurfiau'r ferf gynorthwyol *bod*:

Gosodiad	*Yr oedd y merched wedi mwynhau.*
Cwestiwn	*A oedd y merched wedi mwynhau?*
	Onid oedd y merched wedi mwynhau?
Ateb	*Oeddent.*
	Nac oeddent.

Yr atebion yn yr amser presennol yw:

Unigol	1. *Ydwyf, ydw*	Lluosog	1. *Ydym*
	2. *Ydwyt, wyt*		2. *Ydych*
	3. *Ydyw, ydy, oes*		3. *Ydyn(t)*

Mewn cymal gofynnol sylweddolir y 3ydd person unigol gan *yw* a'r 3ydd person lluosog gan *ydyn(t)*:

Gosodiad	*Y mae ef yn gyrru.*
Cwestiwn	*A yw ef yn gyrru?*
	Onid yw ef yn gyrru?
Ateb	*Ydyw.*
	Nac ydyw.

Gosodiad	*Y maent hwy'n darllen.*
Cwestiwn	*A ydynt hwy'n darllen?*
	Onid ydynt hwy'n darllen?
Ateb	*Ydynt.*
	Nac ydynt.

Yr amser gorffennol

Pan ddewisir yr amser gorffennol yn y cymal gofynnol, yr ateb cadarnhaol yw *do* a'r ateb negyddol yw *naddo*:

Cwestiwn	*A fuost ti'n siopa?*
	Oni fuost ti'n siopa?
Ateb	*Do.*
	Naddo.

Cwestiwn	*A brynodd hi'r beic?*
	Oni phrynodd hi'r beic?
Ateb	*Do.*
	Naddo.

Cwestiwn	*A gawsoch chi bopeth?*
	Oni chawsoch chi bopeth?
Ateb	*Do.*
	Naddo.

Yn nhafodieithoedd y gogledd gall *do / naddo* ateb cwestiwn a holir gan amser gorffennol perffaith (gw. 28) y ferf gwmpasog (gw. 20):

Cwestiwn	*Wyt ti wedi yfed*?
Ateb	*Do / Naddo.*

Ie, Nage

❐ Mewn cwestiwn a gyflwynir gan y geiryn gofynnol *ai* (gw. 6) neu pan ychwanegir *ai e* at osodiad i'w droi'n ofynnol, yr ateb cadarnhaol yw *ie* a'r ateb negyddol yw *nage*:

Cwestiwn	*Ai ti oedd y lleidr?*
Ateb	*Ie.*
	Nage.

Cwestiwn	*Ti yw John Thomas, ai e?*
Ateb	*Ie.*
	Nage.

Yr un yw'r ateb pan hepgorir *ai* mewn cywair anffurfiol:

Llaeth sydd yn y cwpan?
Ie.
Nage.

❒ Pan fydd *onid* yn cyflwyno cwestiwn ac yn cael ei ddilyn gan ran ymadrodd heblaw'r ferf, yr ateb cadarnhaol yw *ie* a'r ateb negyddol yw *nage*:

Cwestiwn	*Onid Lowri biau'r car?*
Ateb	*Ie.*
	Nage.

Cwestiwn	*Onid ar Lowri yr oedd y bai?*
Ateb	*Ie*
	Nage.

Pan ychwanegir *onid e*, *ynte* etc. (gw. ⑥) at osodiad i'w droi'n ofynnol yr ateb cadarnhaol yw *ie* a'r ateb negyddol yw *nage*:

Cwestiwn	*Ti sydd ar fai, onid e?*
Ateb	*Ie.*
	Nage.

> Gall *do, ie, ydyw, oes, naddo, nage, nac ydyw, nac oes* ddilyn a rhagflaenu brawddegau nad ydynt yn ofynnol er mwyn cyfleu pwyslais:
>
> *Llwyddaist yn anrhydeddus. Do, yn wir.*
> *Mae'n gar moethus. Ydyw, moethus iawn.*
> *Naddo, ches i ddim cyfle.*
> *Ie, dros ei ben yr aeth ef.*

8 *Gorchmynion*

Mae **gorchmynion** yn frawddegau sy'n cynnig cyfarwyddyd ynglŷn â gweithredu. Un yn unig o swyddogaethau brawddegau o'r fath yw gorchymyn. Fe'u defnyddir

❒ I ddynodi gorchymyn:

Tyrd, ferch.
Llosgwch y dref.
Stopiwch ef.
Bydd yn dawel.
Gad lonydd iddo.

❒ I gynnig cyfarwyddyd neu gyngor:

Llawenhewch a gorfoleddwch.
Os yw dy law neu dy droed yn achos cwymp i ti, tor hi ymaith.
Gadewch i ni helpu.
Daliwch ati.
Gwthier y drws.

❒ I estyn gwahoddiad neu gais:

Tyrd at y tân, 'ngeneth i.
Gorffen dy sieri.
Dewch i mewn.

❒ I erfyn:

Helpwch ni.
Cynorthwya dy fam.

❒ I ddymuno'n dda:

Bydd lawen.
Mwynhewch eich hunain.

❒ I gyfleu dyhead:

Bydded i'r heniaith barhau.
Gwneler dy ewyllys.

❐ Yn negyddol i gyfleu gwaharddiad:

Na ladd.
Na hidia.
Nac yf win na diod gadarn.
Na chroeser.
Na phoener.
Nac wyla.
Nac ysmyger.

> Dewisir y geiryn negyddol *na* o flaen cytsain, *nac* o flaen llafariad. Dilynir *na* gan dreiglad llaes (gw. Atodiad 1) o *c, p, t,* a threiglad meddal (gw. Atodiad 1) o *g, b, d, m, ll, rh.*

Mae'r gystrawen *na(c)* + berf yn digwydd amlaf erbyn hyn mewn cywair llenyddol a ffurfiol er bod rhai ymadroddion megis *na phoener, na hidiwch* i'w clywed yn gyffredin ddigon ar lafar. Defnyddir, yn hytrach, ffurf orchmynol *peidio* + *â/ag* + berfenw i gyfleu gwaharddiad. Digwydd *â* o flaen cytsain, *ag* o flaen llafariad. Dilynir *â* gan dreiglad llaes o *c, p, t* (gw. Atodiad 1):

Paid â chuddio.
Paid â phoeni.
Paid â gweiddi.
Peidiwch ag yfed.
Paid â malu.

> Mewn cywair anffurfiol gall *â/ag* ddiflannu:
>
> *Peidiwch gwastraffu amser.*
> *Paid cuddio.*
>
> Yn rhai o dafodieithoedd de Cymru sylweddolir *paid â* gan *pida*:
>
> *Pida mynd.*
> *Pida sôn.*

Ar arwyddion cyhoeddus yn bennaf cyfleir y negydd gan *Gwaherddir* + berfenw, *Gwaherddir* + enw:

Gwaherddir ysmygu.
Gwaherddir cŵn.

Gwelir yn ogystal *Dim* + berfenw, *Dim* + enw:

Dim parcio.
Dim pysgota.
Dim cŵn.

9 *Ebychiadau*

Mae **ebychiadau**'n frawddegau sy'n cyfleu teimlad neu ryfeddod neu bleser neu atgasedd. Yn aml mae ebychiadau'n frawddegau un-elfen (gw. 2): *mawredd mawr!*, *diawl erioed!*, *hawyr bach!*, *bore da!*, *croeso!*, *rhag dy gywilydd!*, *bobl bach!*, *y nefoedd wen!*, *myn gafr!*. Mae amryw ebychiadau'n ffurfiau syml megis *a!*, *ha!*, *hai!*, *ho!*, *och!*, *ach!*, *ych!*, *ha-ha!*, *o-ho!*, *wfft!*, *gwae!*, *ust!*, *twt!*, *pw!*, *wel!*, *ow!*

O na bawn i wedi cyrraedd oedran ymddeol!
Ha, gyfeillion!
Ust, dyna lais fy nghariad!
Dywedwch y gwir!
Y nefoedd sy'n gwybod!

Ond gall ebychiadau, yn ogystal, feddu ar gyfluniad prif frawddeg. I gyflwyno ebychiad o'r fath defnyddir

❐ Gradd gyfartal yr ansoddair (gw. 49, 50) heb *cyn*: ceir treiglad meddal (gw Atodiad 1) yng nghytsain flaen yr ansoddair:

Odidoced *oedd ei flas a'i liw!*
Felyned *yw'r banadl!*

❐ *Mor* ynghyd â gradd gysefin yr ansoddair:

Mor felys *oedd y gwirionedd!*
Mor gadarn *yw'r sgrymio!*

❐ Gradd gysefin yr ansoddair:

Caled *yw hi!*

❐ Gall rhagenw gofynnol (gw. 48) fynegi syndod:

Pa fodd *y syrthiodd y cedyrn!*

❐ Cwestiynau ebychiadol (Gw. 6):

Onid oedd hi'n brynhawn da!

❐ Yn y tafodieithoedd y gystrawen ebychiadol fwyaf cyffredin o ddigon yw hwnnw a gyflwynir gan (*dy*)*na* + enw/ansoddair:

Dyna ddiwrnod i'r brenin!
Dyna ferch hardd!
Dyna fochyn braf!
Dyna felyn y mae'r haul!
Dyna dda y buon nhw wrth eu rhieni!
Dyna bryd blasus!

10 *Brawddeg normal*

Mewn brawddeg ferfol normal bydd y ferf seml (gw. 20) yn rhagflaenu'r goddrych (gw. 16); bydd y goddrych yn rhannu dwy elfen y ferf gwmpasog. (gw. 3, 20).

❒ Pan yw'r goddrych yn enw (gw. 31) neu'n rhagenw dangosol (gw. 48) neu'n rhagenwolyn megis *un, amryw, rhai, llawer, pawb, cwbl, sawl, digon, gormod, rhagor*, bydd y ferf yn y 3ydd person unigol:

Cynigiodd y saer wneud y gwaith.
Cynigiodd y seiri wneud y gwaith.
Bydd dafad ddu ymhlith y praidd.
Canodd hon yn swynol.
Aeth amryw i hwylio.
Y mae'r deillion yn cael eu golwg yn ôl.
Yr oedd yr esgobion yn pregethu.
Byddai hwnnw wedi gweiddi nerth esgyrn ei ben.
Bu amryw'n gweld y tŷ.
Yr oedd gormod wedi ymyrryd.

❒ Pan nad oes enw, rhagenw dangosol neu ragenwolyn i sylweddoli'r goddrych, cyfleir person a rhif (gw. 16, 28, 30) gan ffurf y ferf (gw. 16):

Y maent i holi'r plant.
Gwagiais fy ngwydryn.
Wynebaf gynulleidfaoedd mawr.
Mae wedi cysgu.

❒ Gall rhagenw ôl (gw. 48) ddilyn y ferf ond swyddogaeth ategol sydd iddo; nid yw'n oddrych i'r ferf (gw. 16):

Maent hwy i holi'r plant.
Gwagiais i fy ngwydryn.
Wynebaf i gynulleidfaoedd mawr.
Mae hi wedi cysgu.
Llyncaist ti dy ginio.

❐ Gall geiryn rhagferfol cadarnhaol neu negyddol neu ofynnol ragflaenu'r ferf.

I Y geiryn rhagferfol cadarnhaol *y, yr.*
Digwydd *y* o flaen cytsain ac *yr* o flaen llafariad:

> ***Y** mae wedi cyrraedd.*
> ***Y** maent yn cystadlu.*
> ***Yr** oedd Llinos am adrodd.*
> ***Yr** wyf fi wedi blino.*

Ar lafar sylweddolir *y mae, y maent* fel *mae, maen,* ac y mae hynny'n dderbyniol yn yr iaith lenyddol yn ogystal ac eithrio mewn cywair tra ffurfiol. Yn yr un modd *yr wyf > 'rwyf, yr wyt > 'rwyt, yr ydym > 'rydym, yr ydych > 'rydych, yr oeddwn > 'roeddwn, yr oeddet > 'roeddet, yr oedd > 'roedd, yr oeddem > 'roeddem, yr oeddech > 'roeddech, yr oeddent > 'roedden(t).* Yn aml diflanna'r collnod: *rwyf wedi blino.*

II Y geirynnau rhagferfol cadarnhaol *mi, fe.*
Fe'u dilynir gan y treiglad meddal (gw. Atodiad 1):

> ***Fe** ganodd y teliffon.*
> ***Fe** gwynodd yn enbyd.*
> ***Mi** fwytaodd stêc deirgwaith yr wythnos.*
> ***Mi** alwodd brynhawn ddoe.*

Ar lafar diflanna'r geirynnau *mi, fe* yn gyffredin:

> *Ddaw hi fory.*
> *Ganodd y gloch.*

III (A) **Y geiryn rhagferfol gofynnol** *a.*
Fe'i dilynir gan y treiglad meddal (gw. Atodiad 1):

> ***A** oedd Llinos am adrodd?*
> ***A** wyf i wedi blino?*
> ***A** glywaist ti'r stori?*
> ***A** welodd hi'r storm?*
> ***A** fyddant yn hwylio heno?*

(B) **Y geiryn rhagferfol gofynnol** *oni(d)*.
Digwydd *oni* o flaen cytsain *onid* o flaen llafariad. Ceir treiglad llaes o *c, p, t* a threiglad meddal o *g, b, d, m, ll, rh* (gw. Atodiad 1):

Onid *oes sicrwydd yn ei eiriau?*
Oni *chlywaist ti'r gog?*
Oni *lwyddwyd i'w difa?*
Oni *phwysaist ti'r blawd?*

IV Y geirynnau rhagferfol negyddol *ni, nid, na, nac, nad.*
Digwydd *ni, na* o flaen cytsain a *nid, nac, nad* o flaen llafariad; dilynir *ni, na* gan dreiglad llaes o *c, p, t,* a threiglad meddal (gw. Atodiad 1) o *g, b, d, m, ll, rh*:

Nid *oedd Llinos am adrodd.*
Nid *wyf fi wedi blino.*
Ni *chymerai honno unrhyw ddiddordeb.*
Na *ladd.*
Pam ***nad*** *ei di gyda dy fam?*
Na *hidia.*
Nac *anghofia'r anghennus.*

Ceir *ni* yn ogystal, o flaen llafariad sy'n dilyn *g-* a gollwyd yn sgil y treiglad meddal:

Ni *allwn ddweud yr un gair.*
Ni *ollyngwyd y gath o'r cwd.*

Mewn ysgrifennu llai ffurfiol ac ar lafar sylweddolir y negydd gan *ddim*:

Allwn i ddim dweud yr un gair.
Fydd e ddim yno.
Chanodd hi ddim yn yr eisteddfod.

Pan na ddangosir y treiglad ar lafar neu pan fo llafariad ar ddechrau'r ferf seml (gw. 20) *ddim* sy'n dynodi'r negydd:

Canodd hi ddim.
Bydd hi ddim yn dod.
Aeth hi ddim.
Wylais i ddim.

Gall *ni* ddigwydd ar lafar mewn brawddegau negyddol a bwysleisir:

Ni chei di fynd.
Ni yfiff e.
Ni fyddan nhw yno.

Mewn ysgrifennu llai ffurfiol ac ar lafar sylweddolir y negydd o flaen ffurfiau'r ferf *bod* (heb *b-* ddechreuol) gan *d....ddim*:

Doeddem ni ddim yn teithio ar y bws.
Dyw hi ddim yn ei chondemnio am hynny.

Cyfleir y negydd gydag *oes* gan *d ... dim / neb*:

Does dim chwain mewn tas wair.
Does neb am wneud dim iti.

Bydd *d* yn rhagflaenu'r 3ydd person unigol *yw* mewn cystrawen negyddol bob amser, ond clywir ffurfiau talfyredig ar weddill ffurfiau *bod* yn gyffredin ar lafar. Er enghraifft,

nid oeddem ni, doeddem ni ddim > (d)o'n ni ddim
nid oes, does dim > sdim

nid oes, does neb > sneb
nid ydynt hwy, dydyn nhw ddim > dŷn nhw ddim.

11 *Brawddeg annormal*

Mewn brawddeg **annormal** ni fwriedir pwyslais ar y rhan a fydd yn rhagflaenu'r ferf.

❒ Trefn: **goddrych + *a* + berf**
Ni fwriedir pwyslais ar y goddrych. Bydd y ferf bob amser yn cytuno â'r goddrych (gw. 3, 16) o ran rhif a pherson. Dilynir y geiryn perthynol *a* gan y treiglad meddal (gw. Atodiad 1):

> *Hwy a welsant y mab bychan* = Gwelsant y mab bychan.
> *Ei ddisgyblion a ddaethant ato* = Daeth ei ddisgyblion ato.
> *A Job a atebodd ac a ddywedodd* = Ac atebodd Job a dweud.
> *A Duw a ddywedodd* = A dywedodd Duw.
> *A glaw a ddaeth* = A daeth glaw.

❒ Trefn: **dibeniad + *a* + berf**
Ni fwriedir pwyslais ar y dibeniad (gw 3, 17). Dilynir y geiryn perthynol *a* gan y treiglad meddal (gw. Atodiad 1):

> *Chwi a alwyd o'ch gorchwyl* = Cawsoch eich galw o'ch gorchwyl.

❒ Trefn: **adferf + *y* + berf**
Ni fwriedir pwyslais ar yr adferf (gw. 3, 18):

> *Yno y bu am ddeugain mlynedd* = Bu yno am ddeugain mlynedd.
> *Ddoe y cyrhaeddodd frig ei yrfa* = Cyrhaeddodd frig ei yrfa ddoe.

❒ Trefn: **berfenw + *a* + un o ffurfiau rhediadol *gwneud***
Ni fwriedir pwyslais ar y berfenw o ddibeniad:

> *Ofni a wnaethant* = Ofnasant.
> *Chwarae a wnaeth* = Chwaraeodd.
> *Mynd a wneuthum* = Euthum.
> *Gyrru a wnaf* = Gyrraf.

Perthyn naws feiblaidd a hynafol i'r brawddegau uchod. Y mae'r gystrawen annormal yn gystrawen gyffredin yn llenyddiaeth yr Oesodd Canol. Daeth y gystrawen dan lach gramadegwyr ar ddechrau'r ganrif hon ac argymhellwyd ei hosgoi. Er nad yw wedi diflannu'n llwyr, prin yw'r enghreifftiau o'r frawddeg annormal mewn rhyddiaith gyfoes.

Ar lafar y mae'r frawddeg annormal yn nodweddu tafodieithoedd Bro Morgannwg ac fe'i cofnodwyd yn ogystal yn nhafodieithoedd Sir Gaerfyrddin a Cheredigion.
Gw. 12.

12 *Brawddeg bwyslais*

Enw arall ar y frawddeg hon yw'r frawddeg **gymysg** a'i hamcan yw dynodi **pwyslais**. Gwneir hynny trwy newid trefn normal y geiriau yn y frawddeg. Gellir pwysleisio bob un o elfennau'r cymal a rhoir yr elfen sydd i'w phwysleisio ar ddechrau'r cymal.

❒ Pwysleisio'r goddrych

Bydd y ferf bob amser yn y 3ydd person unigol. Rhagflaenir y ferf gan y rhagenw perthynol (gw. 45) a dilynir y rhagenw perthynol gan y treiglad meddal (gw. Atodiad 1):

> ***Afon Teifi*** *a orlifodd ei glannau.*
> ***Y gath*** *a fwytaodd y bwyd.*
> ***Llygoden*** *a oedd wedi bwyta'r caws.*
> ***Yr Aelod Seneddol*** *a fydd yn llywyddu.*

Defnyddir *sy(dd)* pan yw'r ferf *bod* yn yr amser presennol:

> ***Y gath*** *sydd wedi dal y llygoden.*
> ***Y merched*** *sydd wedi canu'r caneuon.*
> ***Y ferch*** *sy'n canu'r delyn.*

Cyll y rhagenw perthynol yn aml, yn enwedig mewn cywair anffurfiol:

> *Y gath fwytaodd y bwyd.*
> *Y draenog yfodd y llaeth.*
> *Y corwyntoedd niweidiodd y tai.*

❒ Pwysleisio'r dibeniad

Pan bwysleisir y dibeniad ceir rhagenw perthynol rhwng y dibeniad a bwysleisir a'r ferf gryno. Dilynir y rhagenw perthynol gan y treiglad meddal (gw. Atodiad 1):

> ***Ci*** *a welodd y ffermwr.*
> ***Cwningen*** *a ddaliais i.*
> ***Cadnoid*** *a saethwyd.*

Pysgodyn *a ddaliwyd.*
Glaw *a gafwyd.*

Rhagflaenir berf gwmpasog (gw. 3, 20) gan y geiryn perthynol *y(r)*; ceir *y* o flaen cytsain *yr* o flaen llafariad:

Tîm Cymru *y byddaf i'n eu cefnogi.*
Ci *yr oedd y ffermwr wedi ei ddal.*
Blodau *y mae hi'n eu gwerthu.*

Rhaid i ragenw blaen (gw. 48) ragflaenu'r berfenw a hwnnw'n cytuno o ran cenedl a rhif â'r dibeniad a bwysleisir.

❒ Pwysleisio'r adferf

Pan bwysleisir yr adferf bydd y geiryn perthynol *y(r)* yn rhagflaenu'r ferf; ceir *y* o flaen cytsain *yr* o flaen llafariad

Ddoe *y gweithiodd.*
Mor anrhydeddus *y llwyddaist.*
Yn gyflym *yr aeth.*
Yn y prynhawn *y byddaf i'n gweithio.*
Da *y'i gwnaethpwyd.*
Yn araf *y cerddodd at ddrws y capel.*
Yn swynol *y canodd.*

❒ Pwysleisio'r traethiedydd

Sylweddolir y traethiedydd a bwysleisir gan ferfenw (gw. 21):

Astudio *yn y llyfrgell y bydd hi heno.*
Astudio *yn y llyfrgell a wnaeth hi heno*

Mewn olyniadau lle y pwysleisir y traethiedydd o ferfenw, cyfeirio at amser yn unig a wna'r ferf *bod* fel yn yr enghreifftiau isod:

Astudio yn y llyfrgell y mae hi.
Astudio yn y llyfrgell yr oedd hi.
Astudio yn y llyfrgell y byddaf i.
Astudio yn y llyfrgell y bu hi.

Mae dewis ffurfiau rhediadol *gwneud*, sut bynnag, yn cyfleu bwriad penodol:

> *Astudio yn y llyfrgell a wnaf i.*
> *Astudio yn y llyfrgell a wnaeth hi.*
> *Astudio yn y llyfrgell a wnaethant hwy.*

Brawddeg bwyslais ynteu brawddeg annormal?

Anodd, onid amhosibl, yw penderfynu a yw'r brawddegau ysgrifenedig cadarnhaol isod yn frawddegau pwyslais ynteu yn frawddegau annormal. Gellid yn deg eu hystyried naill ai'n frawddegau pwyslais, â phwyslais ar y berfenw o ddibeniad, neu ynteu'n frawddegau annormal heb bwyslais ar y berfenw o ddibeniad:

> *Mynd a wneuthum.*
> *Sefyll a wnaeth aelodau o'r gynulleidfa.*
> *Hanner gwrando a wnâi Sioned.*
> *Dechrau a wnei.*

Negyddu brawddeg bwyslais

Rhoir *nid* ar ddechrau'r olyniad:

> ***Nid*** *y gath a fwytaodd y bwyd.*
> ***Nid*** *ci a welodd y ffermwr.*
> ***Nid*** *yn y prynhawn y byddaf i'n gweithio.*
> ***Nid*** *astudio yn y llyfrgell y bydd hi heno.*
> ***Nid*** *astudio yn y llyfrgell a wnaethant hwy.*
> ***Nid*** *glaw a gafwyd ond curlaw.*

Mewn cywair anffurfiol ac ar lafar digwydd *ddim* yn hytrach na *nid*:

> *Ddim arna' i y mae'r bai.*

Ar lafar gall *nage* gyfleu'r negydd:

> *Nage arna' i mae'r bai.*

Er mai mewn rhyddiaith feiblaidd y gwelir y frawddeg annormal yn fwyaf cyffredin bellach, ni ddiflannodd y gystrawen yn llwyr o ryddiaith gyfoes:

Chwi welwch fy mhwynt, gobeithio!
(*Barn*, Hydref 1992 : 6)

Myfi a reidiais gyda'r teulu i fyny'r cwm.
(*Golwg*, 1 Ebrill 1993 : 3)

Ni ddynodir y geiryn *a* yn y frawddeg gyntaf uchod er bod y treiglad meddal yng nghytsain flaen y ferf wedi ei ddynodi.

Yn y tafodieithoedd sylweddolir y goddrych gan ragenw annibynnol:

Ti wyddost.
Chi wyddoch.

Mewn rhyddiaith ddiweddar ac ar lafar, mewn brawddegau cadarnhaol yn unig y digwydd y gystrawen annormal; ni ddigwydd y cyfyngiadau hyn, sut bynnag, ar y defnydd a wneir ohoni mewn barddoniaeth ddiweddar:

Ond tafod neb ni eilw arnynt mwy.
(Waldo Williams, *Dail Pren*, 1956:78)

13 *Brawddeg enwol bur*

Brawddeg yw hon sy'n meddu ar gyfluniad dibeniad (D) + goddrych (G).

❐ Digwydd, gan amlaf, mewn diarhebion neu ddywediadau a dynodi amser presennol cyffredinol:

Cyfaill blaidd / bugail diog.
D G

Hardd / pob newydd.
D G

Hir / pob aros.
D G

Gall G rannu'r elfen ddibeniadol mewn ymadrodd cymariaethol ac mewn rhai ymadroddion arddodiadol estynedig:

Gwell / angau / na chywilydd.
D- G -D

Haws / dringo / na disgyn.
D- G -D

Nes / penelin / nag arddwrn.
D- G -D

Hawdd / cynnau tân / ar hen aelwyd
D- G -D

❐ Gall cymalau eraill gyfeirio at yr amser presennol ar y pryd:

Gwell / mynd.
D G

Rhaid / mynd.
D G

Er mwyn cyfeirio at berson dilynir y dibeniad naill ai gan yr arddodiad *i* neu *gan* + enw neu un o ffurfiau rhediadol yr arddodiaid hyn:

Rhaid i John fynd.
Rhaid iddo fynd.
Gwell gan John aros.
Gwell ganddo aros.

Mae rhai idiomau cyffredin yn meddu ar y cyfluniad hwn:

da gennyf, drwg gennyf, gwell gennyf, anodd gennyf, syn gennyf, hyfryd gennyf, hawdd gennyf, gwaeth gennyf:

Da / gennyf / eich gweld.
D A G

Anodd / gennyf / gytuno.
D A G

❒ Gellir cyfluniad A + G:

Ymlaen / Llanelli!
A G

Allan / â chi
A G

I'r afon / â nhw!
A G

I ddiawl / ag ef
A G

Yn aml bydd G yn gyfarchol (gw. 19):

I'r gwely / blant
A G

Negyddu brawddeg enwol bur

Rhoir *nid* ar ddechrau'r olyniad sef o flaen y dibeniad:

Nid aur popeth melyn.
Nid byd, byd heb wybodaeth.
Nid cynefin brân â chanu.
Nid rhaid imi fynd.
Nid hawdd cynnau tân ar hen aelwyd.

Mewn arddulliau anffurfiol gellir rhoi *mo* o flaen y goddrych o ymadrodd enwol:

Nid cynefin mo brân â chanu.
Nid aur mo popeth melyn.
Nid peth byw mo hwn.
Nid mynydd isel mo'r Wyddfa.
Nid dyn mo hwn.
Nid myfyriwr mo Hywel.

Pan fydd berfenw yn sylweddoli G, cyfleir y negydd trwy roi *peidio â/ag* o flaen y berfenw, sef negyddu'r goddrych. Ceir *â* o flaen cytsain *ag* o flaen llafariad:

Rhaid peidio ag aros yn hir.
Rhaid peidio â meddwl y gwaethaf amdanynt.
Gwell iti beidio â mynd.
Gwell gen i beidio â symud tŷ.

Dilynir *â* gan y treiglad llaes (gw. Atodiad 1):

Gwell ganddi beidio â chwyno.
Rhaid iddi beidio â phoeni.

> Ar lafar ac mewn ysgrifennu anffurfiol cyll *â/ag* yn gyffredin:
>
> *Rhaid peidio aros yn hir.*
> *Rhaid peidio poeni.*

14 Brawddeg gypladol

Gellir defnyddio ffurfiau'r ferf *bod* mewn brawddeg enwol bur er mwyn dynodi amser penodol. **Cyplad** y gelwir y ferf mewn brawddeg o'r fath am mai cyplu dibeniad a goddrych yw ei swyddogaeth. Gelwir y frawddeg yn **frawddeg gypladol** neu'n **frawddeg enwol amhur**. *Yw, ydynt* a ddewisir yn y 3ydd person amser presennol mynegol er mwyn cyplu'r dibeniad a'r goddrych.

Dibeniad	Cyplad	Goddrych
Hardd	*yw*	*pob newydd.*
Hir	*oedd*	*pob aros.*

Treiglir ffurfiau â *b-* i'r feddal:

Hardd fydd pob newid.
Rhaid fu i John fynd.
Hawdd fuasai i ni gredu.
Gwell fyddai ymysgwyd.

Dyma rai enghreifftiau eraill:

Hardd ydynt.
Myfyriwr wyf i.
Plant drwg oedden nhw.
Plant da ydych chi.
Cerddor wyt ti.
Dibrofiad oeddech chi.

Gall *ys* ragflaenu'r dibeniad ond mae blas hynafol, bellach, ar olyniadau megis:

Ys truan o ferch yw hi.
Ys truan o ddyn oeddwn.
Ys cymysg o genedl ydym.

Ffurf ar y cyplad yw *ys*.

❒ Gall y cyplad ddigwydd, yn ogystal, ar ddechrau'r frawddeg; rhagflaenir y dibeniad o enw neu ansoddair gan *yn* traethiadol (gw. 18, 54). Defnyddir *(y) mae*, (*y*) *maen*(*t*), yn y 3ydd person amser presennol mynegol:

Y mae / gwaed / yn dewach na dŵr.
T G D

Bydd / pob newydd / yn hardd.
T G D

Y mae / John / yn fyfyriwr.
T G D

Maen nhw/'n fyfyrwyr.
T G D

Maen nhw/'n gythreulig
T G D

Mae / yn well / mynd.
T D G

Yr oedd / yn rhaid / aros.
T D G

Pan fo dau ansoddair yn safle'r dibeniad gellir naill ai gynnwys neu hepgor yr *yn* traethiadol o flaen yr ail ansoddair:

Bu'r ymdrech yn hir ac yn galed.
Bu'r ymdrech yn hir a chaled

❒ Pan yw'r dibeniad yn adferfol nis rhagflaenir gan *yn*:

Mae / pawb / felly.
T G A

Yr oedd / ei wyneb / fel y galchen.
T G A

Yr oedd / mor ddu â'r frân.
T+G A

Negyddu brawddeg gypladol

I Cystrawen Dibeniad + Cyplad + Goddrych

Rhoir *nid* ar ddechrau'r olyniad:

Nid hawdd yw bodloni pawb.
Nid call fu adrodd y cyfan.

> Mewn ysgrifennu anffurfiol ac ar lafar digwydd *ddim* yn hytrach na *nid*:
>
> *Ddim pysgotwr oedd y diawl.*
>
> Ar lafar clywir *nage* yn ogystal:
>
> *Nage pysgotwr yw e.*

II Y cyplad ar ddechrau'r frawddeg

Rhoir *ni*, *ni(d)* o flaen y cyplad; ceir *ni* o flaen cytsain, *nid* o flaen llafariad. Dilynir *ni* gan y treiglad meddal (gw. Atodiad 1). Dewisir *yw, ydynt* yn y 3ydd person amser presennol mynegol:

Nid yw gwaed yn dewach na dŵr.
Nid yw John yn fyfyriwr.
Nid ydynt yn fyfyrwyr.
Nid oedd mor ddu â'r frân.
Ni fu'r ymdrech yn fawr.

> Ar lafar ac mewn ysgrifennu anffurfiol sylweddolir y negydd o flaen ffurfiau'r ferf *bod* a fo'n cychwyn â llafariad gan *d ... ddim*:
>
> *Dyw gwaed ddim yn dewach na dŵr.*
> *Doedd e ddim yn fyfyriwr cydwybodol.*
>
> Treiglir cytsain gysefin ffurfiau *b-* yn feddal:
>
> *Fu'r ymdrech ddim yn fawr.*

15 *Yr elfen ferfol*

Berf neu ymadrodd berfol (gw. 20) yn unig a all weithredu fel elfen ferfol neu draethiedydd:

> ***Daeth*** *y myfyriwr.*
> ***Taniais*** *y gwn.*
> ***Gwelwyd*** *y cyfan.*
> ***Disgleiriai'****r haul.*
> ***Petrusodd*** *am eiliad.*

Cyfeiria'r term traethiedydd (gw. 3) at yr elfen ferfol yn ei chyfanrwydd gan gynnwys y geirynnau rhagferfol (gw. 10) ynghyd â ffurfiau sy'n cysylltu dwy elfen y ferf gwmpasog (gw. 20):

> ***Nid oes*** *neb yma.*
> ***Mae'****r athro'****n dod****.*
> ***Yr oedd*** *y plant* ***wedi mwynhau****.*
> ***Y maent*** *yn blant drwg.*
> ***Buasai'****r merched* ***wedi canu****.*
> *Merch* ***yw*** *Blodwen.*
> ***Roedd*** *yn hindda.*
> ***A ddeuai*** *nodyn oddi wrth ei chwaer?*
> ***Fe ddaeth*** *yr adeg penodedig.*
> ***Mi ddaeth*** *o'r gwaith am bedwar.*
> *Ymhen pum munud* ***fe fyddai*** *Big Ben yn Llundain* ***yn taro*** *naw.*
> ***Na phoener.***
> ***Oni chollwyd*** *y gêm?*

Cyflawn neu anghyflawn

Mae i'r elfen ferfol swyddogaeth hollbwysig yng nghyfluniad y cymalau a nodwyd yn yr adran hon. Mae'r ferf a ddewisir yn rheoli i raddau helaeth pa elfennau eraill a all ddigwydd yn y cymal.

❐ Pan ddewisir y ferf *mynd* er enghraifft,

Aeth y cathod.
Âi John.

mae'r cymal yn hollol dderbyniol. Nid oes rhaid ychwanegu dim ato. Gellir dewis berfau megis *mynd* heb ddibeniad. **Berf gyflawn** yw'r enw ar ferf o'r fath. Mewn cywair ffurfiol ceir enghreifftiau o ferf gyflawn heb ddewis goddrych ychwaith. Er enghraifft pan ddewisir berf amhersonol:

Gwthier.
Gorwedder.

Nifer fechan o ferfau'n unig sy'n gyflawn yng ngwir ystyr y gair, ac yn eu plith gellid nodi *brecwasta, cneua, coblera, crynu, diflannu, disgleirio, petruso.*

❐ Pan ddewisir y ferf *cael,* rhaid ei dilyn gan elfen arall. Rhaid wrth ddibeniad i gwblhau neu berffeithio'i hystyr er enghraifft,

Cefais fonclust.
Cafodd gusan.
Cafodd Gwilym gusan.

Treiglir cytsain gysefin y dibeniad yn feddal (gw. Atodiad 1) pan fo'n dilyn y ferf neu'r goddrych yn uniongyrchol. **Berf anghyflawn** yw'r enw ar ferf o'r fath.

Gellir defnyddio rhagenw personol yn hytrach nag enw:

Saethais y gwningen	*Fe'i saethais.*
Canmolais y cŵn	*Fe'u canmolais.*

Yn hytrach na sôn am ferfau cyflawn ac anghyflawn fel y cyfryw, gwell gan lawer o ramadegwyr, bellach, gyfeirio at ddefnydd cyflawn neu anghyflawn o'r ferf; a hynny am fod llawer o ferfau naill ai'n ferfau cyflawn neu'n ferfau anghyflawn yn ôl yr ystyr a ddynodir ganddynt. Sylwer ar wahanol ystyr y parau hyn:

Codais. (er enghraifft o'r gadair neu'r gwely)
Codais y dail.

Yn y frawddeg gyntaf mae'r ferf yn cyfleu'r ystyr 'ymsythu oddi ar eistedd neu orwedd'; mae'r ferf yn gweithredu fel berf gyflawn. Yn yr ail frawddeg mae'r ferf yn cyfleu'r ystyr 'casglu neu symud ymaith'; mae'r ferf yn gweithredu fel berf anghyflawn.

Dyma enghreifftiau o ferfau yn cael eu defnyddio'n gyflawn ac yn anghyflawn:

	Cyflawn	Anghyflawn
agor	*mae'r drws yn agor*	*agorais y drws*
boddi	*boddodd y ci yn y llyn*	*boddais y gath*
caledu	*caledai'r dillad ar y rheiddiadur*	*caledais y dillad*
canu	*canai clychau'r eglwys*	*cenais y gloch*
cau	*roedd y drws yn cau*	*caeais y drws*
gadael	*gadewais am dri*	*gadewais fy ymbarél ar y bws*
llosgi	*llosgodd y tân yn gyflym*	*llosgais fy mys*
poeni	*mae e'n poeni am yr arholiadau*	*poenodd ef ei chwaer*
rhedeg	*rhedodd y milgi'n gyflym*	*rhedais wifren ar draws yr ystafell*
sychu	*mae'r dillad yn sychu*	*sychais y llestri*
symud	*mae'r car yn symud*	*symudais y car*
tagu	*tagodd yn ddamweiniol*	*tagodd John y lleidr*
taro	*mae cloc y dref yn taro*	*trewais y bachgen*

16 *Yr elfen oddrychol*

Wrth drafod elfennau'r cymal (gw. 3) nodwyd y frawddeg enghreifftiol,

Mwynhaodd y ci asgwrn heddiw.
T G D A

Didolwyd y goddrych drwy holi pwy neu beth oedd wedi mwynhau. Mewn brawddeg ferfol normal (gw. 10) fel hon a'r traethiedydd yn cael ei sylweddoli gan ferf seml, bydd y goddrych yn dilyn yr elfen ferfol neu'r traethiedydd (gw. 3, 15). Ond nid oes rhaid dynodi'r goddrych yn y dull a wnaed uchod oherwydd gall person y ferf bersonol (rhediad personol y ferf) gyfleu'r goddrych:

Mwynhaodd asgwrn heddiw.
T+G D A

Aethom.	*Rhedaf.*	*Rhoddwch.*	*Bûm.*
T+G	T+G	T+G	T+G

Gellir dewis rhagenw dibynnol ôl (gw. 48) i ategu neu atgyfnerthu person berf bersonol:

Mwynhaodd ef asgwrn heddiw
Aethom ni. *Rhedaf i.* *Rhoddwch chi.* *Bûm i.*

Pan fydd y traethiedydd yn cael ei sylweddoli gan ferf gwmpasog (gw. 3, 20), bydd y **goddrych** yn rhannu dwy elfen y ferf:

*Mae **Catrin** yn canu.*
*Mae **Rhys** yn darllen.*

Gall rhagenw dibynnol ôl ategu neu atgyfnerthu person y ferf:

*Mae **hi**'n canu.*
*Mae **ef** yn darllen.*

Nid y rhagenwau hyn, sut bynnag, yw goddrych y ferf; gellir eu hepgor yn llwyr o'r enghreifftiau uchod a chael olyniad cwbl ddilys a derbyniol. Swyddogaeth ategol yn unig sydd i'r rhagenwau ôl. Mewn brawddegau megis *Mwynhaodd ef* neu *Bu ef yn canu*, ategu person y ferf bersonol a wna'r rhagenw ôl. Hynny yw, y mae'r rhagenw ôl yn clymu gydag elfen arall i gyd-sylweddoli'r goddrych.

Beth a all ddynodi'r elfen oddrychol?

Ymadrodd Enwol (gw. 31) a sylweddolir gan:
❒ Enw (gan gynnwys rhifol, trefnol, ansoddair, berfenw) (gw. 32)
Gellir goleddfu'r elfennau hyn (gw. 31, 42).
Er enghraifft,

> *Mae* ***cath*** *yn mewian.*
> *Mae'****r gaseg*** *yn pori.*
> *Cyrhaeddodd* ***y trydydd.***
> *Diflannodd* ***y tri.***
> *Distawodd* ***y canu.***
> *'Nhad oedd* ***y talaf.***

❒ Rhagenw (gw. 47, 48) neu ragenwolyn megis *un, amryw, rhai, llawer, pawb, gormod, rhagor.*
Er enghraifft,

> *Mae* ***hwn*** *yn cnoi.*
> *Yr oedd* ***hynny'****n amlwg.*
> *Bydd* ***y llall*** *yn well.*
> *Mae* ***rhai*** *wedi cyrraedd.*

❒ Cymal Perthynol (gw. 45)
Er enghraifft,

> *A laddo,* ***a leddir****.*
> *A ddwg wy,* ***a ddwg fwy.***

❒ Cymal Enwol (gw. 79 – 81)
Er enghraifft,

Y si oedd ***bod cyfle newydd wedi codi***.

❐ Person y ferf bersonol

Er enghraifft,

Holodd gwestiwn da.
Rhoddodd ateb cyflawn.
Yr wyf yn mynd.

Weithiau digwydd cyfres o enwau wedi eu cysylltu ag atalnod (mewn ysgrifen) neu oslef (mewn llafar) neu gan gysylltair megis *a*. Mewn achos felly ystyrir y gyfres gyfan yn un elfen oddrychol:

Yr oedd	*buwch, llo, caseg ac ebol*	*ar y cae.*
T	G	A

Bydd	*y fam, y tad, y plant a'r wyrion*	*yn y gwasanaeth.*
T	G	A

Aeth	*Siôn a Siân a Siencyn*	*i Aberdâr.*
T	G	A

Un elfen oddrychol yn unig a ganiateir mewn cymal.

17 Yr elfen ddibeniadol

Mewn brawddeg ferfol normal (gw. 10) bydd **yr elfen ddibeniadol** yn dilyn y ferf a'r goddrych:

> *Gwelais **gaseg gref***
> *Gwelais **y dyn**.*
> *Credaf **fod ymarfer côr**.*
> *Cafodd John **dair anrheg dda**.*
> *Yr oedd Geraint wedi saethu **dwy gwningen**.*

Dibeniad uniongyrchol a geir yn y brawddegau uchod a bydd dibeniad uniongyrchol fel rheol yn cyfeirio at berson neu at beth yr effeithir arno yn uniongyrchol gan y ferf.

Pan ddigwydd cyfres o enwau wedi eu cysylltu ag atalnod neu gysylltair yn safle'r dibeniad, ystyrir y gyfres gyfan yn un elfen ddibeniadol (D):

> *Gwelais / **gadno, helfa a thri heliwr**.*
> TG D
> *Yr oedd wedi gweld / **tarw, buwch a llo**.*
> TG D

Treiglir y dibeniad i'r feddal (gw. Atodiad 1) yn dilyn berf seml pan ddigwydd heb y fannod neu air arall o'i flaen, yn syth ar ôl naill ai'r ferf, neu berf + rhagenw ategol, neu'r goddrych (gw. 3, 15).

Ceir, yn ogystal, **ddibeniad anuniongyrchol** hynny yw, y mae gweithred y ferf wedi ei hestyn at ail ddibeniad ac y mae hwnnw'n cael ei gyflwyno gan arddodiad (gw. 64). Gellir dweud yn fras bod y dibeniad uniongyrchol yn cael ei dderbyn gan y dibeniad anuniongyrchol. Olyniad cyffredin yw hwnnw'n cynnwys berf, goddrych, yr arddodiad *i* + dibeniad anuniongyrchol (D_a), berfenw o ddibeniad uniongyrchol (D_u):

> *Ni adawai / 'r ci / **i neb** / ddwyn.*
> T G D_a D_u

Gadawodd / ***i'w blant*** / *ddioddef.*
T+G D_a D_u

Gadawodd / ***iddynt*** / *chwarae.*
T+G D_a D_u

Gadawodd / ***i'r ci bach*** / *chwarae.*
T+G D_a D_u

Beth a all ddynodi'r elfen ddibeniadol?

Ymadrodd Enwol (gw. 31) a sylweddolir gan:

❒ Enw (gan gynnwys rhifol, trefnol, ansoddair, berfenw)

Gellir goleddfu'r elfennau hyn (gw. 31, 42).

Er enghraifft,

Saethais ***y gwningen.***
Lloriais ***y tri***
*Yr oedd John wedi mwynhau'****r canu***
Hoffaf ***yr ail.***
Y talaf *yw 'nhad.*

❒ Rhagenw (gw. 47, 48) neu ragenwolyn megis *un, amryw, llawer, pawb, gormod, rhagor.*

Er enghraifft,

Prynais ***hwn.***
Arbedais ***hynny.***
Gwelais ***y llall.***
Fe *yw'r lleidr.*
Gwnaeth ***ormod***.

❒ Cymal Perthynol (gw. 45)

Er enghraifft,

A laddo*, a leddir.*
A ddwg wy*, a ddwg fwy.*

❒ Cymal Enwol (gw. 79 – 81)

Er enghraifft,

Rydych chi'n gwybod ***bod Bob yn byw yn Sir Fôn***.
Cytunent ***fod bywyd yn faich.***
Gwelwn ***ei bod wedi ei siomi.***

❒ Ymadrodd Arddodiadol (gw. 55) sef ymadrodd a gyflwynir gan arddodiad:
Er enghraifft,

Mae Rhys ***yn fyfyriwr.***
*Yr oedd hynny'****n amlwg.***
*Mae hi'****n well na'i brawd.***

Pan fo'r arddodiad *yn* yn cyflwyno'r dibeniad yn dilyn y ferf *bod*, fe'i gelwir yn *yn* traethiadol. Os cyflwynir Ymadrodd Enwol gan yr *yn* traethiadol, ni all yr ymadrodd hwnnw fod yn bendant; h.y. mae

Mae ef yn fyfyriwr.
Mae hi'n athrawes.

yn olyniadau gramadegol (gw. 1); ond nid:

**Mae hi'n fy athrawes.*
**Mae ef yn y myfyriwr.*

18 Yr elfen adferfol

Y mae'r elfen adferfol (A) yn wahanol i weddill elfennau'r cymal.

❒ Gall un cymal gynnwys amryw enghreifftiau:

Pregethodd /	*y ficer /*	*yn rymus /*	*yn y gwasanaeth /*	*neithiwr.*
T	G	A	A	A

❒ Gall yr elfen adferfol ddewis mwy nag un safle yn y cymal:

*(**Ddoe**) yr oedd (**ddoe**) wedi llwyr ymlâdd (**ddoe**).*

❒ Bydd yr elfen adferfol yn cyflawni sawl swyddogaeth wahanol yn y frawddeg megis dynodi dull, lle, amser:

Cysgodd /	*Dafydd /*	*yn dawel /*	*yn y gadair /*	*drwy'r prynhawn.*
T	G	A	A	A
		dull	lle	amser

Gan amlaf mae'r elfen adferfol yn elfen ddewisol. Yn y brawddegau enghreifftiol yn yr adran hon gellir hepgor yr elfennau adferfol a deil y brawddegau yn ramadegol. Nid yw hepgor A ddewisol, mewn geiriau eraill yn amharu dim ar ddilysrwydd y frawddeg.

Beth a all ddynodi'r elfen adferfol?

❒ Cymalau adferfol (gw. 77)
Er enghraifft,

*Yr oedd golwg wael arno **pan welais ef.***
***Dim ond inni gyrraedd mewn pryd**, fe gawn ginio.*
***Er imi bysgota drwy'r nos**, ni ddaliais bysgodyn.*

❒ Ymadroddion arddodiadol (gw. 55), sef ymadroddion a gyflwynir gan arddodiad.
Er enghraifft,

*Eisteddai Siôn **wrth y drws.***
*Deuthum i Lambed **ar y bws.***
*Plannodd y coed **yn yr ardd.***

❒ Enwau ac ymadroddion enwol (gw. 31, 32)
Er enghraifft,

*Arhosais **flwyddyn.***
*Gwelais ef **yr wythnos diwethaf.***
*Roedden nhw'n cerdded **law yn llaw.***
*Mae'r cŵn **drwyn wrth drwyn.***

❒ Adferfau (gw. 53-63)
Er enghraifft,

*Gwelais ef **ddoe.***
*Mae chwech wedi ymgeisio **eleni.***
*Byddwch yno **chwap.***
***Draw**, mi welwn gopa'r Wyddfa.*
*Anfonwyd ef **adref.***

❒ Ansoddeiriau (gan gynnwys trefnolion), (gw. 49)
Er enghraifft,

*Paid ag aros **mor hir***
*Bydd yn galw yma **fynychaf.***
*Hi a weithiodd **galetaf.***
*Fe a aeth **gyntaf.***

Yn anaml y bydd *yn* yn rhagflaenu gradd eithaf ansoddeiriau pan fyddant yn adferfol:

Hi a ganodd (yn) orau.

Fel rheol, sut bynnag, ni ellir defnyddio'r ansoddair ar ei ben ei hun fel adferf yn y Gymraeg; ceir *yn* traethiadol (gw. 53) bron yn ddieithriad o'i flaen yn enwedig pan fydd yr elfen adferfol yn dynodi dull (gw. 54):

*Cerddodd **yn araf.***
*Rhedodd **yn gyflym.***
*Trawodd Siôn y bêl **yn rymus.***
*Rhannodd hi'r arian **yn decach.***

Ceir *yn* traethiadol, yn ogystal, o flaen trefnolion:

*Nhw oedd **yn ail** yn y gystadleuaeth.*
*Ef a ddaeth **yn bumed**.*

19 *Yr elfen gyfarchol*

Cyfeiria'r elfen gyfarchol at y person neu'r personau neu'r creadur a gyferchir yn y frawddeg. Cyflawna ddwy brif swyddogaeth:

❒ Gellir ei defnyddio i hoelio sylw:

> ***John****, mae dy eisiau di ar y ffôn.*
> *Wyt ti wedi gorffen dy waith,* ***Rhys****?*
> ***Blant****, mae'n amser cinio!*
> ***Carlo****, eistedd!*

❒ Gellir ei defnyddio i gyfarch rhywun neu i ddynodi perthynas arbennig neu agwedd arbennig:

> ***Doctor****, mae gen i boen yn fy mol.*
> *Tyrd at y tân,* ***cariad****.*
> *Gad lonydd iddo,* ***y cythraul bach****.*
> *Eisteddwch* ***'nhad****.*

Elfen ddewisol yw'r elfen gyfarchol: gellir ei chwanegu at frawddeg neu ei hepgor o'r frawddeg heb amharu ar weddill y cyfluniad.

Fel rheol un elfen gyfarchol a geir mewn brawddeg.

Gellir treiglo'r elfen gyfarchol i'r feddal (gw. Atodiad 1), ond mae *doctor*, *cariad, calon, pwt, bach,* bob amser yn gwrthsefyll treiglo.

Yn aml mewn cywair ffurfiol bydd ebychiad yn rhagflaenu'r elfen gyfarchol ac fe'i dilynir gan y treiglad meddal:

> ***O Dduw****, yr wyf yn diolch iti nad wyf i fel pawb arall.*
> ***O Frenin****, mae'r hyn a ddywed yn wir.*

Beth a all ddynodi'r elfen gyfarchol ?

Enwau priod: *Dafydd, Mr Williams, Jones, Mot.*
Enwau sy'n arwyddo perthynas: *mam, tad, d'ewyrth, cariad.*
Ffurfiau sy'n arwyddo safle neu barch: *doctor, nyrs, ficer.*
Ffurfiau sy'n arwyddo anwyldeb: *bach, cariad, 'r aur, calon.*
Ffurfiau sy'n difrïo: *cythraul, mochyn, sarff, diawl, gwas.*
Cyfarchion cyffredinol: *cyfeillion, boneddigion a boneddigesau.*
Y rhagenwau annibynnol *ti, chi* (i ddynodi agwedd chwyrn): *Ti, yn y car acw. Chi, yn eich gwelyau, ganol ddydd.*
Rhai cymalau: *Pwy bynnag sydd am ddod, dewch ac fe gewch groeso.*

Mae'n arferol agor llythyr trwy gyfarch y darllenydd cyn dechrau ysgrifennu'r neges. Gan amlaf defnyddir *Annwyl* i gyfarch derbynnydd y llythyr, ond y mae llawer o ddewisiadau eraill:

Gyfaill, Gyfeillion, Frodyr, Etholwyr Caerfyrddin, Gyd-Gymry.

20 *Cyfluniad yr ymadrodd berfol*

Yr elfen ferfol (**T**) yng nghyfluniad y cymal (gw. 3, 15) yw'r **ymadrodd berfol**. Y mae mwy nag un patrwm gan yr ymadrodd berfol:

❒ Cyfluniad y ferf gyfansawdd (i)

Y ferf gynorthwyol *bod*	**+**	**Ategwyr berfol**	**+**	**Berfenw (sef y ferf ddi-amseroedd)**
yr wyf etc.				*canu*
yr oeddwn etc.				*eistedd*
byddaf etc.				*nofio*
byddwn etc.				*archwilio*
buaswn etc.				*llwyddo*
bûm etc.				*sychu*

Swyddogaeth **berf gynorthwyol** yw cynorthwyo prif ferf y cymal i ddynodi person, rhif ac amser (gw. 25, 28).

Berfenw. Dyma'r ffurf ar y ferf a nodir mewn geiriadur (gw. 21). Yng nghyfluniad y ferf gyfansawdd bydd y berfenw yn cyfleu'r weithred neu'r cyflwr a ddynodir.

Swyddogaeth **ategwyr berfol** yw dangos amser y weithred a gyfleir gan y ferf; dynodant a yw'r weithred yn parhau, neu wedi ei chwblhau, neu'n digwydd ar gyfnod arbennig neu heb ddigwydd o gwbl. Rhaid dewis o blith *yn, wedi, ar, am, i, heb*. Dilynir *ar, am, i, heb* gan y treiglad meddal (gw. Atodiad 1).

Ar *yr wyf* / *'rwyf, yr oeddwn* / *'roeddwn* etc. gw. 10.

Er enghraifft:

Yr wyf i'n clywed.
Yr oeddent hwy wedi boddi.
Yr oedd ef ar fwyta.
Byddaf am ddod.
Bûm i'n cysgu.
Yr ydym ni i fynd.
Byddwn yn canu.
Buaswn wedi cerdded.

Am newid categori amser yn y math hwn o ymadrodd berfol gw. 28.

Gellir negyddu'r cyfluniad trwy ddewis y negydd didoledig *ni(d) ..... ddim*. Ceir *ni* o flaen cytsain, *nid* o flaen llafariad; dilynir *ni* gan dreiglad meddal o *g, b, d, m, ll, rh* (gw. Atodiad 1):

Nid wyf i ddim wedi clywed.
Ni fydd hi ddim wedi symud.

Yn anaml, sut bynnag, y sylweddolir y negydd yn gyflawn oni bai bod angen dynodi pwyslais.

Mewn cywair llenyddol safonol *ni*(*d*) yn unig a ddewisir fel rheol:

Nid yw Rhys yn cystadlu.
Nid ydynt yn achwyn.
Ni fydd neb yn gwylio.
Nid wyf wedi clywed.
Nid oedd Llinos am gystadlu.

Ar lafar dewisir *ddim* ond sylweddolir *ni*(*d*):

(i) gan dreiglo'r eitem ddilynol
Fydd e ddim am gystadlu.

(ii) gan *d*
Doedd hi ddim yn cytuno.

(iii) ni sylweddolir *ni(d)*
Bydd e ddim yn credu.

Gweler hefyd 10 (IV)

Y posiblrwydd arall ar gyfer negyddu yw dewis yr ategydd berfol *heb* o flaen y berfenw mewn cystrawen gadarnhaol. Dilynir *heb* gan y treiglad meddal (gw. Atodiad 1).
Enghreifftiau:

yr wyf heb glywed	Presennol
yr oeddwn heb glywed	Gorffennol Parhaol
byddaf heb glywed	Dyfodol
byddwn heb glywed	Amherffaith Amodol
buaswn heb glywed	Gorberffaith Amodol
bûm heb glywed	Gorffennol Penodol

Ar lunio'r gofynnol gw. 6, 7.

Yr un patrwm cyffredinol a ddefnyddir ar gyfer dynodi'r amseroedd perffeithiol ond bod y system ychydig yn fwy cyfyng:

yr wyf wedi bod yn gweld	Presennol Parhaol Gorffenedig
yr oeddwn wedi bod yn gweld	Gorffennol Parhaol Gorffenedig
byddaf wedi bod yn gweld	Dyfodol Parhaol Gorffenedig
buaswn wedi bod yn gweld	Gorberffaith Amodol

Gellir dewis *ar, am*, yn hytrach nag *yn*, ond y dewis mwyaf tebygol yw *yn*:

yr wyf wedi bod ar/am/yn paentio'r tŷ ers misoedd.

Dilynir *ar*, *am* gan y treiglad meddal (gw Atodiad 1).

Llunnir y gofynnol a'r negyddol dan yr un amodau ag a ddisgrifiwyd uchod ar gyfer y cyfluniad cyntaf:

Nid wyf wedi bod yn gweld.
Dwyf i ddim wedi bod yn gweld.
Fydd hi ddim wedi bod yn gweld.
Yr wyf heb fod yn gweld.
Bydd hi ddim wedi bod yn gweld.

❐ Cyfluniad y ferf gyfansawdd (ii a)

Berf gynorthwyol	**Ategydd berfol**	**Berfenw**
Dyma	*yn*	

Er enghraifft:

Dyma John yn mynd.
Dyma'r plentyn yn diflannu.
Dyma fi'n mynd.
Dyma'r gwningen yn dianc.

> Mewn cymalau datganol cadarnhaol yn unig y ceir y cyfluniad hwn; ei swyddogaeth yw cyfleu effaith ddramatig.

❐ Cyfluniad y ferf gyfansawdd (ii b)

Berf gynorthwyol	**Ategwyr berfol**	**Berfenw**
Dyma	*yn / wedi*	
Dyna		
Dacw		

Er enghraifft:

Dyma fi wedi dod.
Dyna'r gwaith wedi cyrraedd.
Dacw John yn diflannu.
Dyna ti'n gorffen dy waith yn daclus ac mewn da bryd.

> Defnyddir y cyfluniad hwn i nodi bod gweithred neu gyflwr newydd orffen neu ar fin gorffen.
>
> Cyfyngir y cyfluniad hwn i ddynodi'r datganol cadarnhaol.
>
> Y mae'n gyfluniad cyffredin iawn ar lafar â *wedi* yn enwedig yn ategydd berfol.

❐ Cyfluniad y ferf gyfansawdd (iii)

Berf gynorthwyol	+	**Berfenw**
gwneud / gwneuthur		

Er enghraifft:

Gwnaiff ef ganu.
Ni wnaeth ef ganu.
Gwnaeth 'nhad orffen y gwaith.
A wnewch chi eistedd?
Gwnaf fi ei orffen.
Ni wnaf i ei orffen.
Wna' i ddim ei orffen.
Oni wnewch chi aros?

Ar lunio'r gofynnol gw. 6, 7.

> Y mae'r cyfluniad *gwneud / gwneuthur* + berfenw yn fwy cyffredin yn y tafodieithoedd nag yn yr iaith lenyddol.
>
> Ni ellir dewis *heb* i negyddu yn y gystrawen hon.

❐ Cyfluniad y **ferf seml**:

Bôn + **terfyniad personol**

At y bôn (gw. 22) yr ychwanegir terfyniadau sy'n sylweddoli categorïau amser a pherson. Er enghraifft:

Bôn	Terfyniad	Berfenw
gwel-	*-af*	*gweld, gweled*
eistedd-	*-odd*	*eistedd*
dywed-	*-wyd*	*dweud, dywedyd*
hongi-	*-ais*	*hongian*
bradych-	*-ir*	*bradychu*
gwaethyg-	*-id*	*gwaethygu*
crynho-	*-wn*	*crynhoi*
dyg-	*-ai*	*dwyn*
arbed-	*-ech*	*arbed*
darllen-	*-wch*	*darllen*
addaw-	*-om*	*addo*

Un nodwedd amlwg ar yr iaith lafar yw tuedd siaradwyr i dalfyrru olyniad, sef hepgor nifer o elfennau mewn brawddeg a chreu o ganlyniad batrwm byrrach. Patrwm cyffredin yw hepgor y ferf gynorthwyol yng nghyfluniad y ferf gyfansawdd:

wedi blino?
wedi gorffen?
plant yn dod.

Clywir yn ogystal hepgor yr elfen ferfol yn llwyr (gw. 1):

peint?
Llanelli 46, Castell-Nedd 12.
dan y car.

Wrth hepgor neu dalfyrru mae siaradwr yn manteisio ar gyd-destun a sefyllfa'r sgwrs i gyfrannu at ystyr y neges.

Mae ffurfiau talfyredig ar y berfau syml isod yn ffurfio atodynnau sy'n cyfeirio'n uniongyrchol at y gwrandawr:

ti / chi'n gweld	> *t' / ch' wel'.*
wyddost ti / wyddoch chi	> *'sti/y'chi.*
ti / chi'n gwybod	> *ti / chi 'mbo', t'mod, ch'mod*

Er enghraifft,
Mae'n codi ch'wel, a darllen ch'wel, a mynd nôl wedyn ch'wel ar ôl te.
Mae'n credu popeth 'sti.

21 Y Berfenw

Ffurf ddi-amseroedd y ferf yw'r berfenw; nid yw ychwaith yn dynodi person na rhif (gw. 20, 29). Dyma'r ffurf ar y ferf a nodir mewn geiriadur:

mynd	*gwneud*	*cefnogi*
dod	*cael*	*beicio*
lladd	*holi*	*marchogaeth*
achub	*taro*	*caru*
chwarae	*byw*	*rhannu*
bod	*plygu*	*llwyddo*
canu	*boddi*	*ymladd*
datod	*mwynhau*	*rhyfela*
bwyta	*yfed*	*trechu*
paratoi	*darfod*	*canlyn*
bloeddio	*coedio*	*ysgrifennu*
cynhyrchu	*llyncu*	*darllen*
gyrru	*sefyllian*	*mercheta*
pysgota	*ufuddhau*	*hoelio*

Gellir rhannu berfenwau'n ddau ddosbarth.

❐ Berfenwau y nodir eu dosbarth gan derfyniad berfenwol. Er enghraifft:

-eg: rhedeg, ehedeg.
-ed: clywed, cerdded, yfed.
-yd: cymryd, dychwelyd, ymyrryd, edfryd.
-yll: sefyll.
-a: pysgota, lloffa, gwledda, cneua, mwyara, siopa, chwilota.
-ach: clinddarach, cyfeddach.
-an: clebran, sgrechian.
-i: enwi, chwerwi, berwi, rhoddi, torri, poeri, poeni, angori, oeri.

-u: canu, caru, rhyfeddu, tynnu, gwylltu, saethu, dallu, glasu, darlledu.

-o: blino, rhifo, crio, britho, curo, cribo, gweithio, bodio, cofio, potio.

Y terfyniadau **-u**, **-o**, **-i** sydd fwyaf cynhyrchiol.

> Pan yw bôn y ferf yn enw neu'n ansoddair, bydd *-i* yn rhagflaenu'r terfyniad berfenwol *-o* yn gyffredin:
>
> *gwaith* *gweithio* *cof* *cofio*
> *taith* *teithio* *caib* *ceibio*
>
> Ceir *-i* o flaen *-o* mewn ffurfiau benthyg yn ogystal, ond cyll *-i* yn aml ar lafar:
>
> *smoc(i)o* *apel(i)o* *cerf(i)o* *iws(i)o*
>
> Mae dewis *o* yn hytrach na *io* yn gwahaniaethu rhwng,
> *llifo* 'ffrydio' a *llifio* 'torri coed'
>
> Ar lafar gall *llifo* a *lliwio* fod yn gyfystyron.

❒ Berfenwau nad oes terfyniad berfenwol i nodi eu dosbarth. Er enghraifft: *eistedd, darllen, olrhain, dangos, chwarae, cadw, datod, anfon, cyfarch, dilyn, dal, canlyn, arbed, ethol, gafael, lladd, ateb, achub, cyfarth, cymell, arllwys, atal, edrych, dioddef, ymddeol, ymddangos, ymladd, ymosod, ymwrthod.*

Mae rhai o'r berfenwau uchod yn gallu derbyn terfyniad berfol yn uniongyrchol. Er enghraifft:

eistedd, *eistedd-af, eistedd-ais, eistedd-wn, eistedd-wyd* etc.
darllen, *darllen-af, darllen-ir, darllen-id, darllen-odd* etc.
dewis, *dewis-af, dewis-odd, dewis-wyd* etc.
ethol, *ethol-af, ethol-wn, ethol-wyd, ethol-ir* etc.

Rhaid ychwanegu elfen arall (elfen fôn-ffurfiol) at ferfenwau eraill er mwyn iddynt dderbyn terfyniad berfol. Er enghraifft:

dal, *dal-i-af, dal-i-odd, dal-i-wyd, dal-i-wn* etc.
hel, *hel-i-wn, hel-i-wyd, hel-i-af, hel-i-ais* etc.

Mae'r bôn yr ychwanegir y terfyniad berfol ato yn wahanol yn achos rhai berfenwau. Er enghraifft:

> **dwyn**, *dyg-af, dyg-wyd, dyg-ir, dyg-wn* etc.
> **mynd**, *ei* (< a + i), *aeth-om, aeth-pwyd* etc.

Bydd **-h-** bob amser yn rhagflaenu'r llafariad bwyslais yng ngoben, sef sillaf olaf ond un, ffurf ferfol y canlynol:

aros	*arhosaf*	*amau*	*amheuaf*
cymell	*cymhellaf*	*dianc*	*dihangaf*

Wrth ychwanegu terfyniad berfol symudir y pwyslais a thry **-nn-** ac **-rr-** y sillaf bwyslais yn **-n-** neu **-nh-** neu **-rh-**:

ennill	*enillaf*	*cynnull*	*cynullaf*
annog	*anogaf*	*chwennych*	*chwenychaf*
cynnig	*cynigiaf*	*cynnau*	*cyneuaf*
cynnal	*cynhaliaf*	*cynnwys*	*cynhwysaf*
cyrraedd	*cyrhaeddaf*		

❐ Sylwyd uchod ac yn 20 ar nodweddion berfol y berfenw. Gyda bannod neu ragenw o'i flaen neu gydag ansoddair mae nodweddion enwol y berfenw yn dod i'r amlwg. Er enghraifft,

> *y dawnsio, fy nghanu, ein dewis, darllen da, ateb pwrpasol, ymladd ffyrnig, her y dawnsio.*

Gwrywaidd yw cenedl y berfenw ond mae *gafael* a *cyfeddach* yn amrywio o ran eu cenedl.

22 *Bôn a gwreiddyn y ferf*

Y **bôn** yw'r hyn sy'n weddill wedi symud y terfyniad sy'n sylweddoli categorïau amser (gw. 28) a pherson (gw. 29). Er enghraifft:

> ***can***-*af*, ***darllen***-*wyd*, ***adrodd***-*ir*, ***arbed***-*ais*, ***arllwys***-*wn*, ***dangos***-*odd*, ***ateb***-*ir*, ***gosod***-*asom*, ***ymddeol***-*wn*.

Gall y bôn gynnwys

❒ Y gwreiddyn yn unig:

> *can-, cerdd-, eistedd-, gosod-, darllen-, dilyn-.*

❒ Y gwreiddyn + dodiad bôn-ffurfiol:

Y dodiaid bôn-ffurfiol yw:

> **-ych-**, **-yg-**, **-ha-**, **-ho-**, **-i-**.

Er enghraifft:

> **bradych**-af, **tewych**-wyd, **clafych**-odd, **gwaethyg**-odd, **mawryg**-u, **ysgyrnyg**-odd, **dirmyg**-wyd, **glanha**-odd, **crynho**-ais, **ufuddha**-wyd, **cryfha**-wyd, **penlini**-af.

23 *Berfau rheolaidd ac afreolaidd*

Gellir, fel rheol, ragweld ffurfiau rhediadol berfau **rheolaidd** yn ddiffwdan yn ôl rheolau arbennig am fod gan ferf reolaidd un bôn yn unig. Ond mae rhai o ffurfiau rhediadol berfau **afreolaidd** yn llai amlwg, yn rhannol am fod gan ferfau o'r fath fwy nag un bôn.

Y mae'r rhan fwyaf o lawer o ferfau'r Gymraeg yn ferfau rheolaidd.

Mae gan bob berf reolaidd rai nodweddion cyffredin.

❒ Mae ganddynt oll ffurf ferfenwol (gw. 21).

❒ Mae ganddynt oll ffurfiau rhediadol, sef ffurfiau sy'n dynodi,
(i) Modd: Mynegol, Dibynnol, Gorchmynnol (Gw. 26)
(ii) Person: Unigol a Lluosog, Amhersonol (Gw. 29)

Er enghraifft,

Berfenw	**Ffurf rediadol**	
canu	*canaf*	1 un. Presennol Mynegol
deall	*deallo*	3 un. Presennol Dibynnol
bwyta	*bwytaer*	Amhersonol Gorchmynnol
yfed	*yfwyd*	Amhersonol Gorffennol Mynegol
eistedd	*eisteddwyf*	1 un. Presennol Dibynnol
gweithio	*gweithid*	Amhersonol Amherffaith Mynegol
ennill	*enillodd*	3 un. Gorffennol Mynegol
cofio	*cofiais*	1 un. Gorffennol Mynegol
bloeddio	*bloeddiasem*	1 llu. Gorberffaith Mynegol

Nodir ffurfiau'r ferf seml reolaidd *canu* yn *Gramadeg Cymraeg* **261.**

Berfau afreolaidd

I Y ferf **bod**. *yr wyf, yr oeddwn, byddaf, byddwn, buaswn, bûm* etc.

Nodir ffurfiau'r ferf *bod* yn *Gramadeg Cymraeg* **277**.

II Berfau cyfansawdd o **bod**. *canfod, cyfarfod, darfod, gorfod, darganfod, hanfod*

Bydd gwreiddyn y ferf yn gweithredu fel bôn a ffurfiau'r ferf **bod** yn ffurfio'r terfyniadau sy'n dynodi modd, amser a pherson. Yn yr is-ddosbarth hwn o ferfau bydd cytsain ddechreuol y terfyniad yn treiglo'n feddal: *canfyddaf, canfu, darfyddir* etc.

Nodir ffurfiau *canfod* etc. yn *Gramadeg Cymraeg* **287-292**.

III Berfau cyfansawdd o **bod**. *gwybod, adnabod, cydnabod*

Bydd gwreiddyn y ferf yn gweithredu fel bôn a ffurfiau'r ferf **bod** yn ffurfio'r terfyniadau sy'n dynodi modd, amser a pherson. Yn yr is-ddosbarth hwn o ferfau ni bydd cytsain ddechreuol y terfyniad yn treiglo'n feddal: *gwybyddaf, adnabûm, cydnabu* etc.

Nodir ffurfiau *gwybod, adnabod, cydnabod* yn *Gramadeg Cymraeg* **293**.

IV Y berfau **mynd, dod, cael, gwneud**. *af, deuaf, dof, caf, gwnaf* etc.

Nodir ffurfiau *cael* yn *Gramadeg Cymraeg* **274**.
Nodir ffurfiau *mynd, dod, gwneud* yn *Gramadeg Cymraeg* **294**.

Swyddogaeth gynorthwyol a geir i *cael* pan yw'n digwydd mewn cystrawen oddefol (gw. 25, 27).

24 *Berfau diffygiol*

Nid oes rhediad cyflawn o ran amser (gw. 28), modd (gw. 26) a pherson (gw. 29) i ferfau **diffygiol**. Nifer fechan iawn o ferfau diffygiol a geir yn yr iaith.

Berfau diffygiol cyffredin

I Dichon Ffurf y 3ydd un. Presennol Mynegol yn unig sy'n digwydd.

Fe'i defnyddir
(i) i ddynodi'r ystyr **gallu**, **medru**,
Ni ddichon neb wasanaethu dau arglwydd.
Ni ddichon dim da ddod o Lanrafon.

(ii) i ddynodi'r ystyr **efallai**,
Dichon bod polareiddio yn anochel mewn cymdeithas ddemocrataidd.

Digwydd *dichon* yn ogystal fel enw gwrywaidd yn dynodi posibilrwydd: *Does dichon gwneud dim byd â nhw.*

II Dylwn Ffurfiau'r amser amherffaith a'r amser gorberffaith yn unig sy'n digwydd.

Defnyddir ffurfiau'r amherffaith a'r gorberffaith i ddynodi presennol cyffredinol.
Fe ddylem ddiolch i Dduw.
Mi ddylai rhywun ddweud wrthi.
Dylaswn fod wedi hen ddysgu'r wers.
Dylasai'r gweithiwr a'r taeog brofi ffrwyth yr artist ar ôl diwrnod caled o waith.

Nodir ffurfiau *dylwn* yn *Gramadeg Cymraeg* **296**.

III Ebe, Eb Fe'i defnyddir ymhob person ac amser pan gofnodir union eiriau'r llefarydd; dilynir y ffurf ferfol naill ai gan enw neu ragenw sy'n dynodi'r goddrych,

Melltigwch Meros, eb angel yr Arglwydd.
...eb efe wrth y claf o'r parlys.

> Yn nhafodieithoedd gogledd Cymru cynrychiolir y ferf hon gan y ffurf **ebra**: *ebra fi, ebra nhw.*

IV Meddaf Ffurfiau'r amser presennol a'r amser amherffaith yn unig sy'n digwydd. Ei swyddogaeth yw cyflwyno geiriau uniongyrchol a ddyfynnir gan y siaradwr neu ddyfyniad o rywbeth a ddywedodd ef ei hun:

Yr oedd yn boblogaidd iawn, meddir, gyda'r ymwelwyr.
'Pen-blwydd hapus,' meddwn.
Pwy meddwch ydwyf i?

> Yn nhafodieithoedd de Cymru clywir y ffurfiau *myntwn, myntit, mynte, myntem, myntech, mynten* yn yr amherffaith.

Nodir ffurfiau *meddaf* yn *Gramadeg Cymraeg* **298**.

V Geni Ac eithrio'r berfenw *geni*, a'r ansoddair berfol *ganedig*, ffurfiau'r amhersonol yn unig sy'n digwydd: *genir, genid, ganwyd, ganed, ganesid, ganasid, ganer:*

Ganed iddynt fachgen a alwyd yn Robert.
Yn Detroit y ganwyd Ray Robinson.
Da fuasai i'r dyn hwnnw petai heb ei eni.

Nodir ffurfiau *geni* yn *Gramadeg Cymraeg* **299.**

VI Gweddu Ac eithrio'r berfenw *gweddu*, y ffurfiau *gwedda, gweddai* yn unig sy'n digwydd:

> *Sancteiddrwydd sy'n gweddu i'th dŷ.*
> *Gwialen a weddai i gefn yr angall.*

Nodir ffurfiau *gweddu* yn *Gramadeg Cymraeg* **300**.

VII Tycio Ac eithrio'r berfenw *tycio*, y ffurfiau *tycia, tyciai, tyciodd, tyciasai* yn unig sy'n digwydd. Mewn cystrawen negyddol y digwydd y ferf hon gan amlaf:

> *Pan welodd nad oedd dim yn tycio aeth allan.*
> *Ni thyciai ddim.*
> *Ni thyciodd fy nadlau ddim.*

Nodir ffurfiau *tycio* yn *Gramadeg Cymraeg* **301**.

VIII Hwde, moes Ffurfiau'r 2il un. a llu. Gorchmynnol yn unig sy'n digwydd: *hwde, hwdwch*; *moes moeswch*,

> *Hwde i ti a moes i minnau.*
> *Hwda, dyma ichdi Woodbine.*

Yn nhafodieithoedd de Cymru digwydd y ffurfiau *hwre, hwrwch.*

IX Digwydd Nid oes ffurfiau gorchmynnol (gw. 8) i'r ferf hon.

X Piau Gw. 45.

XI Dacw, Dyma, Dyna, Wele Ffurfiau presennol cyffredinol yw'r rhain:

> *Dyna dŷ mawr.*
> *Dyma flodau lliwgar.*
> *Dacw'r mans.*
> *Wele'r gwaredwr.*

XII Gorfod Ac eithrio'r berfenw *gorfod*, y ffurfiau *gorfydd, gorfyddai, gorfu* yn unig sy'n digwydd.

XIII Perthyn Ac eithrio'r berfenw *perthyn*, y ffurfiau *perthynaf, perthynwn* yn unig sy'n digwydd.

25 *Berfau cynorthwyol*

Mae berfau cynorthwyol yn cynorthwyo prif ferf y cymal i ddynodi amryw wahaniaethau gramadegol hollol sylfaenol megis person, rhif (gw. 29) ac amser digwydd y weithred neu'r cyflwr a ddynodir (gw. 28).

Gwelwyd eisoes (gw. 20) enghreifftiau o'r ferf *bod* yn gweithredu'n gynorthwyol a cheir swyddogaeth gynorthwyol yn ogystal i *cael* yn ei wedd gyfansawdd a seml:

Berf gynorthwyol	
Bydd	*yn beirniadu.*
Yr oedd yn cael	*ei feirniadu*
Cafodd	*ei feirniadu*

Bydd *gwneud* a *ddaru* yn gweithredu'n gynorthwyol yn enwedig ar lafar yn y gogledd ac yng ngwaith awduron o'r gogledd:

Berf gynorthwyol		
Mi wnaethon	*nhw gerdded i'r ysgol* =	*Cerddasant i'r ysgol.*
Ddaru	*nhw gerdded i'r ysgol* =	*Cerddasant i'r ysgol.*

Ar lafar yn hytrach na defnyddio ffurf seml, gryno'r ferf (gw. 20) ar gyfer dynodi'r amser dyfodol a'r amser perffaith, gellir defnyddio'r ferf gynorthwyol *gwneud* mewn patrymau cyfansawdd (gw. 20). Ar gyfer cyfleu'r amser gorffennol perffaith, ar lafar ac yn ysgrifenedig, gellir dewis *ddaru* yn ogystal â *gwneud*:

Neith pawb fwyta afal.
Neith y plant redeg yn gyflym.
Ddaru'r ceffyl redeg yn gyflym.
N'ath y ceffyl redeg yn gyflym.
Neith y plant ddarllen?
Ddaru'r plant ddarllen?

Mae'r arddodiaid *yn, wedi* yn digwydd gyda'r berfau cynorthwyol *gallu, medru, dylai* er mwyn cyfleu'r parhaol neu'r perffaith. Yn yr iaith lenyddol bydd *bod* yn rhagflaenu'r arddodiad ond ar lafar bydd *bod* yn diflannu weithiau o flaen *wedi*:

Berf gynorthwyol	
Gallai	*'r plant fod yn boddi.*
Dylai	*'r rhieni fod yn pryderu.*
Medrai	*'r plant fod yn pryderu.*
Gallai	*'r rhieni fod wedi camddeall.*
Dylai	*'r plant fod wedi cyrraedd.*
Dylet	*ti (fod) (we)di aros am dy chwaer.*
Gallai	*hi (fod) (we)di cyrraedd erbyn hyn.*

26 *Moddau'r ymadrodd berfol*

Y mae i'r ferf dri **modd** a **moddau**'r ferf sy'n nodi a yw cymal yn datgan ffaith neu'n nodi dymuniad neu'n cynnig cyfarwyddyd.

❒ Y mae'r rhan fwyaf o lawer o ymadroddion berfol yn y modd **mynegol**. Defnyddir y modd mynegol i wneud datganiadau neu i holi cwestiynau ffeithiol, sef cysyniadau y mae modd eu lleoli mewn amser pendant:

Mae hi'n bwrw glaw.
Nid yw cinio'n barod.
Ble mae'r car?
Aeth i'r gwely.
Gyrrodd yn wyllt ar hyd y strydoedd cul.
Ydy'r tywydd yn oer?
Mae'n haeddu ei le yn y tîm.

❒ Defnyddir y modd **dibynnol** i ddatgan dymuniad neu ddeisyfiad neu amod neu er mwyn datgan gwybodaeth ynglŷn â'r hyn a all/allai ddigwydd o'i gyferbynnu â'r hyn sydd yn digwydd, sef cysyniadau nad oes modd eu lleoli mewn amser pendant:

Duw gadwo'r tywysog.
Pawb at y peth y bo.
Duw a'n gwaredo.
Fel hyn y gwnelo'r Arglwydd i mi.
(Ruth 1: 17)
Pan fo'r galw'n codi mae'r safonau'n codi.
Does ond a hedo a ddaw yma.
Pe bai e'n gi bach, byddai wedi ysgwyd ei gynffon.

Prin iawn yw'r defnydd o'r dibynnol ar lafar ac eithrio mewn dywediadau megis *pawb at y peth y bo, cyn bo hir, doed a ddelo, fel y mynnoch.*

❐ Defnyddir y modd **gorchmynol** i ddynodi gorchymyn neu gyfarwyddyd neu ddyhead (gw. 8):

Eistedd.
Cer i'r gwely.
Paid â gweiddi.
Tro i'r dde.
Nac ofnwch.
Na hidier.

Y modd dibynnol

Prin yw'r defnydd o'r modd dibynnol mewn Cymraeg diweddar ac eithrio yn yr iaith lenyddol safonol. Mewn cyweiriau eraill mabwysiadwyd swyddogaethau'r dibynnol i raddau helaeth gan y modd mynegol a'r modd gorchmynol. Digwydd y dibynnol fel rheol mewn dywediadau, idiomau a diarhebion:

Boed a fo am hynny.
Duw a'n helpo.
Cadw yn graff a ddysgych.
Canmoled pawb y bont a'i dyco drosodd.
Cas gŵr na charo'r wlad a'i maco.

Yn yr enghreifftiau isod o'r Beibl Cymraeg dewiswyd y modd mynegol yn hytrach na'r modd dibynnol yng nghyfieithiad 1988:

Y mae'r gwynt yn chwythu lle y ***mynno*** (1955)
Y mae'r gwynt yn chwythu lle y ***myn*** (1988)
(Ioan 3:8)

Pan ***edrychwyf*** *ar y nefoedd, gwaith dy ddwylo* (1955)
Pan ***edrychaf*** *ar y nefoedd, gwaith dy fysedd* (1988)
(Salm 8:3)

Ar lyfrau siec argreffir

Taler......neu a enwo.
Taler = Amhersonol Gorchmynol
enwo = 3ydd person unigol Presennol Dibynnol

Awgryma hyn fod y Gymraeg wrth estyn ei ffiniau cyweiriol yn dechrau ailgydio yn ogystal yn ei hadnoddau gramadegol.

27 *Gweithredol a goddefol*

Gellir cyfleu'r weithred a ddynodir yn y cymal (gw. 2, 3) mewn dau ddull:

(i) *Daliodd y gath y llygoden*
(ii) *Daliwyd y llygoden gan y gath*

Y mae gwahaniaeth pendant a hollol amlwg rhwng y naill gymal a'r llall; dywedir bod **stad** y naill yn wahanol i **stad** y llall. Yn (i) *y gath* (sef yr elfen oddrychol yn y frawddeg (gw. 16) sy'n cyflawni'r weithred). Yn sgil hynny dywedir bod *daliodd* yn cynrychioli **stad weithredol** ar y ferf. Y mae'r ferf yn dynodi'r hyn y mae'r goddrych yn ei wneud.

Yn (ii) y mae gweithredydd y weithred ferfol wedi ei symud i ddiwedd y cymal a'i rhoi dan reolaeth yr arddodiad (gw. 64) *gan*. Symudwyd elfen ddibeniadol (gw. 17) y ferf weithredol a'i rhoi ar ôl yr elfen ferfol. Goddef y weithred neu'r sefyllfa a wna'r llygoden yn hytrach na'i chyflawni; disodlwyd yr ymadrodd berfol gweithredol gan ymadrodd berfol **goddefol**. Am hynny dywedir bod y ferf yn y **stad oddefol**.

GWEITHREDOL

Ymadrodd berfol	**Goddrych**	**Dibeniad**
Daliodd	y gath	y llygoden

GODDEFOL

Ymadrodd berfol	**Dibeniad**	**Gweithredydd y ferf**
Daliwyd	y llygoden	gan y gath

Gellir cyfleu'r stad oddefol mewn amryw ffyrdd:

I Gellir dewis berf amhersonol (gw. 29):

Paratowyd y bwyd gan y gwragedd.
Arholir y plentyn gan yr athro.
Saethwyd John gan Sandra.
Palwyd yr ardd gan y mab.

Gyrrwyd y car gan yr heddwas.
Taflwyd y bêl gan y plentyn.

II Gellir dewis y patrwm:

Ymadrodd berfol sef *cael* yn ei ffurf seml neu gyfansawdd	+	rhagenw blaen	+	berfenw

Y maent wedi cael eu geni yn Detroit.
Cawsant eu geni yn Detroit.
Bydd yn cael ei arholi gan yr athro.
Caiff ei arholi gan yr athro.
Yr oedd y car yn cael ei yrru gan heddwas.
Cafodd y bêl ei thaflu drwy'r ffenestr gan blentyn.
Cafodd John ei saethu gan Sandra.
Roedd hi wedi cael ei chladdu.
Nid oedd hi wedi cael ei chladdu.

Yng nghystrawen y ferf gyfansawdd gellir dewis, yn ogystal, o blith yr ategwyr berfol eraill (gw. 20):

Mae i gael ei ddiswyddo.
Yr oedd am gael ei ddilyn.
Maent ar gael eu gwobr.
Nid yw am gael ei ddiswyddo.

Mewn cystrawen negyddol gellir dewis *heb* gyda'r ferf gyfansawdd. Dilynir *heb* gan y treiglad meddal (gw. Atodiad 1):

Mae heb gael ei arholi eto	=	*Nid yw wedi cael ei arholi eto*
Maen nhw heb gael eu geni	=	*Nid ydynt wedi cael eu geni*
Roedd y car heb gael ei yrru o gwbl	=	*Nid oedd y car wedi cael ei yrru o gwbl*
Roedd hi heb gael ei chladdu	=	*Nid oedd hi wedi cael ei chladdu*

Yn dilyn *wedi* a *heb* gellir hepgor *cael*:

Y maent wedi [*cael*] *eu geni yn Detroit.*
Mae heb [*gael*] *ei arholi eto.*

Pan hepgorir *cael* gall amwysedd ddigwydd yn hawdd iawn dan rai amgylchiadau oherwydd ni ellir penderfynu, heb ystyried y cyd-destun ehangach, ai gweithredol ynteu goddefol yw'r ferf. Mewn brawddeg megis,

Y mae'r dyn wedi ei saethu

ai'r ystyr yw

Y mae'r dyn wedi cael ei saethu

neu ynteu

Y mae'r dyn wedi ei saethu ef (sef rhyw ddyn arall).

Gellir hepgor *cael* yn ogystal yn dilyn *newydd* mewn cystrawen oddefol. Dilynir *newydd* gan y treiglad meddal (gw. Atodiad 1):

Mae'r ystafell hon newydd [gael] ei phaentio.

III Ar lafar yn gyffredin ceir y patrwm *dyma / dyna* + rhagenw ôl + *yn/wedi* + *cael* + rhagenw blaen + berfenw:

Dyna fe'n cael ei saethu.
Dyma nhw'n cael eu gollwng.
Dyna nhw'n cael eu rhyddhau.
Dyna fe wedi cael ei saethu.

Sylwer bod y rhagenw blaen (gw. 47) yn y cyfluniadau dan **II** a **III** uchod yn cytuno â'r elfen oddrychol yn y cymal (gw. 3) o ran person a rhif. Mae'r rhagenw blaen yn elfen hollol hanfodol yn y cyfluniad; heb y rhagenw, cyfluniad berf rediadol sydd i *cael* a'r berfenw yn elfen ddibeniadol (gw. 3) yn y cymal, er enghraifft,

Caiff / arholi / am ddeg.
T | G D A

Cafodd /John / saethu.
T G D

Y maent wedi cael / geni / yn Detroit.
T+G D A

Yr oedd yn cael / gyrru.
T+G D

28 *Amserau'r ferf*

Un o swyddogaethau pwysicaf y ferf yw dynodi'r amser y bydd gweithred yn digwydd. Er mwyn gwneud hynny bydd y ferf seml (gw. 20) yn newid ei therfyniadau. Hynny yw, er mwyn galluogi'r ferf seml i wahaniaethu rhwng person cyntaf unigol amser presennol a pherson cyntaf unigol amser amherffaith, dyweder, newidir terfyniadau'r ferf (gw. 21, 22):

Canaf 1af un. amser presennol/dyfodol, modd mynegol
Canwn 1af un. amser amherffaith, modd mynegol

Yng nghyfluniad y ferf gwmpasog, yr ategwyr berfol (gw. 20) fydd yn dangos amser y weithred a gyfleir gan y ferf; adeiledir amseroedd gwahanol y ferf trwy gadw amser *bod* yn ddigyfnewid tra'n cyfnewid *yn* a *wedi* yn safle'r ategydd berfol:

Amser Presennol Parhaol
*Yr wyf fi'**n** dysgu*

Amser Presennol Perffaith
*Yr wyf i **wedi** dysgu*

Amser Gorffennol Parhaol
*Yr oeddwn i'**n** dysgu*

Amser Gorberffaith
*Yr oeddwn i **wedi** dysgu*

Amser Dyfodol Parhaol
*Byddaf i'**n** dysgu*

Amser Dyfodol Perffaith
*Byddaf i **wedi** dysgu*

Mae'r amseroedd sy'n weddill yn dewis rhwng *yn* a *wedi*:

Amser Amherffaith Amodol
*Byddwn i'**n** dysgu*

Amser Gorberffaith Amodol
*Buaswn i **wedi** dysgu,*
*Byddwn i **wedi** dysgu*

Gorffennol Penodol
Gellir dewis *yn* yn unig:
*Bûm i'**n** dysgu*

Mae'r tafodieithoedd yn cysoni patrwm y pâr amodol naill ai trwy gyffredinoli'r ffurf orberffaith ar y ferf gynorthwyol a chael

(i) *buaswn i'n canu* Amherffaith Amodol
(ii) *buaswn i wedi canu* Gorberffaith Amodol

neu drwy gyffredinoli'r ffurf amherffaith a chael

(i) *byddwn i'n canu* Amherffaith Amodol
(ii) *byddwn i wedi canu* Gorberffaith Amodol

Y mae i'r **modd mynegol** (gw. 26) bedwar amser.

Isod nodir, yn fras iawn, y defnydd mwyaf cyffredin a wneir o amserau'r modd mynegol.

I Amser Presennol/Dyfodol

Yn y cywair llenyddol gall yr amser hwn ddynodi amser presennol cyffredinol, amser presennol datganol yn ogystal ag amser dyfodol. Mewn cywair llai ffurfiol ac ar lafar yn enwedig, bydd y ferf seml, fel rheol, yn cyfleu'r amser dyfodol yn unig:

Gwyn y ***gwêl*** *y frân ei chyw.*
Dyfal donc a ***dyrr*** *y garreg.*
Darllenaf *y papur ar ôl cinio.*
Cofiaf *ef yn dda.*
Gwelaf *hwy bob wythnos yn y farchnad*
Af *yno yfory.*

Ffurf gwmpasog y ferf (gw. 20) a ddefnyddir i gyfleu'r amser presennol yn fwyaf cyffredin ar lafar ac mewn cywair llai ffurfiol a chyfleir yn gyffredin ddigwyddiad neu weithgarwch arferiadol, sef cyflwr neu ddigwyddiad sy'n parhau hyd at y presennol neu sy'n digwydd yn gyson:

Yr wyf yn mynd *i'r gêmau yn hapus.*
Mae *'r diawl 'ma'****n cnoi*** *fy nhu mewn i.*
Mae *fy mrawd* ***yn rhedeg*** *i'r ysgol.*
Mae *'r garej* ***yn gwerthu*** *petrol.*
Mae *Mair* ***yn mynd*** *allan bob nos Wener.*

Gall amser presennol y ferf seml, yn ogystal, gyfleu ystyr arferiadol:

__Caiff__ Gwilym ei arian poced bob nos Wener.

Pan yw'r cyd-destun, sut bynnag, yn cyfleu'r amser dyfodol bydd amser presennol y ferf gwmpasog hithau'n dynodi'r dyfodol:

Mae hi'n dod yfory.
Mae'r ysgol yn agor yr wythnos nesaf.

Y mae gan y dyfodol ei ffurfiau cwmpasog ei hun wrth gwrs:

Bydd hi'n dod yfory.
Byddaf fi'n mynd i'r dref nos yfory.
Byddan nhw'n colli'r eisteddfod.

Gall y dyfodol gyfleu ystyr arferiadol yn ogystal:

Ni fydd Rhys byth yn achwyn.
Byddaf yn gwneud ymarferion bob bore.

II Amser Gorffennol

Mae'r amser hwn yn cael ei ddefnyddio i ddynodi bod gweithgarwch syml wedi digwydd yn y gorffennol. Dyma'r amser a ddefnyddir yn arferol wrth adrodd stori:

> *Yna* ***edrychodd*** *ar y buarth dan ei orchudd gwyn o eira, a* ***dechreuodd*** *ddychmygu bwrdd wedi ei daenu â lliain main ac arno olwython o gig gwyddau a hwyaid, a'r ager yn codi yn gwmwl oddi arnynt.* ***Llyfodd*** *ei wefusau â blaen ei dafod a* ***theimlodd*** *y dŵr yn llifo o'i ddannedd.*
> (*Carnifal*, Gerhart Hauptman a Heinrich Böll, 1974:6)

Mae rhyw dinc byw, tinc 'presennol' i'r holl weithgarwch a ddisgrifir uchod a gellir profi hynny'n hawdd trwy roi *dyma* + rhagenw ôl + *yn* + berfenw yn lle'r ferf:

> *Yna dyma fe'n edrych ar y buarth dan ei orchudd gwyn o eira, a dyma fe'n dechrau dychmygu bwrdd wedi ei daenu â lliain main ac arno olwython o gig gwyddau a hwyaid a'r ager yn codi yn gwmwl oddi arnynt. Dyma fe'n llyfu ei wefusau â blaen ei dafod a dyma fe'n teimlo'r dŵr yn llifo o'i ddannedd.*

Defnyddir ffurfiau amser gorffennol y ferf yn ogystal i gyfleu bod gweithgarwch wedi dod i ben erbyn cyfnod y traethu neu'r ysgrifennu. Dyma'r dynodiad perffaith neu orffenedig:

> ***Cyfieithodd*** *William Salesbury lyfr rhetoreg o'r Lladin i'r Gymraeg.*
> ***Ni chyhoeddodd*** *na llyfr na phamphled o unrhyw fath.*

Ar lafar ac mewn cywair llai ffurfiol defnyddir cystrawen y ferf gwmpasog, sef amser presennol *bod* + *wedi* + berfenw er mwyn cyfleu'r amser perffaith:

> *Rydw i wedi cytuno.*
> *Mae hi wedi golchi'r car.*
> *Mae John wedi torri'r borfa.*

Gellir dynodi hefyd sefyllfa a ddechreuodd yn y gorffennol ond sy'n parhau o hyd:

> *Rydym wedi byw yn y stryd hon ers ugain mlynedd.*

Cyfeiria'r gorffennol penodol at bwynt penodol yn y gorffennol ac at ddigwyddiad a ddaeth i ben yn y gorffennol:

> *Bu'n chwarae ar yr asgell i Lanelli am ddeng mlynedd.*
> *Buont yn gweithio yn Lerpwl yn ystod y rhyfel.*
> *Buom yn ystyried yn ddwys cyn penderfynu.*

III Amser Amherffaith

Bydd yr amser amherffaith yn cyfleu bod gweithgarwch naill ai (i) yn ymestyn dros gyfnod o amser yn hytrach na bod yn un weithred orffenedig neu (ii) wedi digwydd ar lawer achlysur mewn cyfnod a aeth heibio:

> (i) ***Gweithiai*** *fy nhad ar fferm yn ardal Llanelli.*
> ***Yr oedd*** *fy nhad* ***yn gweithio*** *ar fferm yn ardal Llanelli.*

Byddai ychwanegu elfen adferfol (gw. 18) megis *adeg y rhyfel, y pryd hwnnw*, at y ddwy frawddeg uchod yn awgrymu nad yw'r sefyllfa'n parhau yn y presennol. Gwelir cyfluniad y ferf gwmpasog yn ogystal â chyfluniad y ferf seml yn yr iaith lenyddol; ar lafar ni cheir cyfluniad y ferf seml ac eithrio gyda berfau megis *gwybod, gallu, medru, cael.*

(ii) ***Byddai*** *ffair* ***yn dod*** *i'r pentref bob Gŵyl Fartin.*
Heidiai *cannoedd i Ffair Fartin yn Llanybydder.*
Gwnaem *ein gwaith gyda'n gilydd bob nos.*

IV Amser Gorberffaith

Y mae'r amser hwn yn dynodi gweithgarwch sydd ymhellach yn ôl yn y gorffennol na'r amser gorffennol/perffaith a'r amser amherffaith. Dyma'r gorffennol yn y gorffennol:

Cysgais yn drymach nag y ***cysgaswn*** *erioed o'r blaen.*
Safai'r castell yn gadarn fel y ***safasai*** *ers cenedlaethau.*
Sgoriasai *Penybont eu cais cyntaf yn gynnar yn y gêm.*
Chwerddais yn uwch nag y ***chwarddaswn*** *erioed yn fy mywyd .*

Y defnydd o'r ferf gwmpasog, sef amherffaith *bod* + *wedi* + berfenw sydd yn gyffredin ar lafar ac mewn cywair llai ffurfiol:

Yr oedd *fy rhieni* ***wedi priodi*** *ryw dair blynedd cyn ei farw ac* ***yr oedd*** *fy mam* ***wedi dod*** *i mewn i Benrhiw at fy nhad.*
Roeddwn wedi gweld *Mr Edwards yn pasio.*
Yr oeddwn wedi gorffen *fy ngwaith.*

Defnyddir y gorberffaith yn ogystal mewn cystrawen amodol:

Nid oes ond dyfalu sut gampwaith a ***gawsem*** *petai wedi llunio nofel hanesyddol.*
Pe ***buasit*** *ti yma,* ***buasai*** *fy mrawd* ***wedi byw****.*

Amserau'r modd dibynnol

Ffurfiau amser presennol y modd dibynnol yn unig sy'n wahanol i ffurfiau'r modd mynegol. Prin yw'r defnydd o'r modd dibynnol mewn Cymraeg diweddar (gw. 26), ond gwelir a chlywir ffurfiau'r modd dibynnol yn gyson yn dilyn cysyllteiriau *pan, pe, tra*; digwydd hefyd yn dilyn *o na*:

Pan *edrychwyf ar y nefoedd, gwaith dy fysedd.* (1955) Salmau 8:3
Nid yw blwyddyn yn amser hir ***pan*** *fo gwaith yn aros i'w wneud.*
Pe *baent yn cael eu cosbi'n drwm, ni fyddent mor awyddus i droseddu eto.*
Nid wyt i roi genfa am safn ych ***tra*** *byddo'n dyrnu.* (Deut. 25:5)
O na *byddai'n haf o hyd.*

29 *Y dewis personol/amhersonol*

Pan yw'r ymadrodd berfol yn ferf rediadol gellir ei sylweddoli naill ai gan ffurf bersonol ar y ferf neu gan ffurf amhersonol ar y ferf.

Y DEWIS PERSONOL

Bydd yr ymadrodd berfol yn dewis amser, person a rhif.
Mae tri therm i'r dewis person: cyntaf, ail, trydydd.
Mae dau derm i'r dewis rhif: unigol a lluosog.

Canaf person cyntaf, rhif unigol	1af un. Amser Presennol Mynegol **canu**.
Byddi ail berson, rhif unigol	2il un. Amser Dyfodol Mynegol **bod**.
Mae trydydd person, rhif unigol	3ydd un. Amser Presennol Mynegol **bod**.
Gallwn person cyntaf, rhif lluosog	1af llu. Amser Presennol Mynegol **gallu**.
Cewch ail berson, rhif lluosog	2il llu. Amser Presennol Mynegol **cael**.
Gwelsant trydydd person, rhif lluosog	3ydd llu. Amser Presennol Mynegol **gweld**.

Bydd y dewis personol yn dangos nid yn unig amser y gweithredoedd a ddynodir gan y ferf ond hefyd pwy sy'n eu cyflawni; dyma'r elfen bersonol.

Y DEWIS AMHERSONOL

Nid yw'n angenrheidiol i'r ymadrodd berfol ddewis person a rhif; gall, yn hytrach, wneud y dewis amhersonol ar gyfer pob amser sy'n golygu dewis un term yn unig:

Cenir Amhersonol Amser Presennol Mynegol **canu.**
Cwblheir Amhersonol Amser Presennol Mynegol **cwblhau.**
Dywedir Amhersonol Amser Presennol **dweud.**
Ceid Amhersonol Amser Amherffaith **cael.**

Codid Amhersonol Amser Amherffaith **codi.**
Canwyd Amhersonol Amser Gorffennol **canu.**
Symudwyd Amhersonol Amser Gorffennol **symud**.
Eisteddasid Amhersonol Amser Gorberffaith **eistedd.**
Magesid Amhersonol Amser Gorberffaith **magu.**

Digwydd ffurfiau'r amhersonol gorffennol yn gyffredin ar lafar ac yn ysgrifenedig ond prin yw digwyddiad ffurfiau'r amhersonol gorberffaith.

Pan fo angen dynodi gweithredydd yn y math hwn o gymal – swyddogaeth y goddrych yn aml iawn – bydd yn dilyn yr arddodiad *gan* (gw. 27):

Canwyd gan blant yr Ysgol Sul.
Canwyd ganddynt.
Paratowyd y te gan y gwragedd.

30 *Swyddogaethau'r ferf 'bod'*

Mae'r ferf *bod* yn cyflawni tair swyddogaeth yn y Gymraeg.

❒ Bydd yn sylweddoli'r traethiedydd (gw. 15) yn y frawddeg ferfol (gw. 10) ac yn cyfleu'r ystyr 'trigo, byw, aros, bodoli, bod yn bresennol':

Mae *fy mrawd yn Llansteffan ar hyn o bryd.*
Bydd *yn y Coleg yfory.*
Yr oedd *yn y capel ddoe.*
Bu *yn yr ysbyty dros nos.*
Buwyd *yn y gêm ar y Strade brynhawn Sadwrn.*

❒ Bydd yn gweithredu yn swydd berf gynorthwyol (gw. 20, 25) yn y gystrawen ferfol gwmpasog i sylweddoli categorïau amser, person a rhif mewn cysylltiad â'r ategwyr berfol:

Mae *yn canu yn y côr.*
Yr oeddent *yn dringo'r Wyddfa.*
Byddant *yn gwylio'r newyddion ar y teledu.*
Mae *wedi cymryd ei le ar y fainc.*
Yr oeddent *wedi gorffen.*

❒ Bydd yn gweithredu yn swydd cyplad (gw. 14) yn y cymal cypladol i sylweddoli categorïau amser, person a rhif :

Gwilym ***yw'r*** *chwaraewr gorau.*
Siôn ***oedd*** *hyfforddwr y tîm.*
Pwy ***yw*** *hi?*
Roedd *y canu'n ardderchog.*
Maent *yn datws blasus.*
Lleidr ***ydyw****.*

31 *Yr ymadrodd enwol*

Yr ymadrodd enwol sy'n sylweddoli'r elfennau goddrych (gw. 16) neu ddibeniad (gw. 17) yn y cymal (gw. 2, 3, 4). Bydd yr ymadrodd enwol yn cynnwys un elfen sy'n hollol hanfodol i'w gyfluniad rhagor pob elfen arall. Dyma'r elfen orfodol yn y cyfluniad. Dull cyffredin o ddangos pa elfen sydd yn orfodol yw holi pa eitem yn yr ymadrodd enwol a all sefyll ar ei ben ei hun; hynny yw, pa eitem yn y cyfluniad na ellir mo'i hepgor o'r cyfluniad. Yn y brawddegau isod yr **enw** sef *ci* yw'r unig elfen na ellir mo'i hepgor o'r ymadrodd enwol; dyma'r **pen** yng nghyfluniad yr ymadrodd enwol. Ac yn aml iawn **enw** a fydd yn sylweddoli'r **pen** yng nghyfluniad yr ymadrodd enwol. Dyma, yn ogystal, darddiad y term ymadrodd enwol.

Yn y math symlaf o ymadrodd enwol y **pen** yw'r unig elfen sy'n bresennol:

Gwelwyd ***ci*** *yno.*
Ci *yw* ***hwn****.*
Ci *yw* ***Pero.***

Ond mae elfennau eraill yn perthyn i'r ymadrodd enwol yn ogystal, a'r rheini yn digwydd bob ochr i'r pen:

Mae'r ***ci****'n cnoi.*
Mae'r ***ci*** *hwn yn cnoi.*
Mae pob ***ci*** *yn cnoi.*
Mae pob ***ci*** *du yn cnoi.*
Mae pob ***ci*** *du yn y greadigaeth yn cnoi.*
Mae pob ***ci*** *du sy'n cyfarth yn cnoi.*

Mae ymadroddion enwol yn gallu amrywio'n fawr o ran eu ffurf. Dyma gyfres o ddyfyniadau byrion o amryw gyhoeddiadau wythnosol poblogaidd gwahanol ac fe ddynodir yr ymadroddion enwol mewn print trwm:

Mae ***aelodau Plaid Cymru*** *wedi newid* ***trefn ganolog y blaid.***

Fe fydd ***yr ola' o'r hen do, yr Ysgrifennydd Cyffredinol,*** *yn gadael* ***swyddfa Caerdydd.***

Hanner dyn *a* ***hanner ceffyl*** *yw* ***Sagittarius.*** *Mae* ***pobl a aned dan yr arwydd hwn*** *yn hoffi* ***ceffylau.***

Cyfluniad yr ymadrodd enwol

Pa mor gymhleth ac amrywiol bynnag yr ymddengys yr ymadroddion enwol yn y darnau uchod o ran eu ffurf, gellir disgrifio pob un ohonynt trwy gyfeirio at un neu ragor o'r elfennau isod:

❐ Y **pen**. Dyma'r brif elfen neu'r elfen orfodol, yr elfen hanfodol y mae'r holl elfennau eraill yn ddibynnol arni:

car
y ***car*** *hwn*
yr hen ***gar***
yr hen ***gar*** *mawr*
y ***car*** *mawr rhydlyd*
yr hen ***gar*** *mawr rhydlyd hwn*
pob hen ***gar*** *mawr du rhydlyd*

❐ Y **goleddfydd**. Mae'r goleddfydd yn meddu ar gyfluniad gair ac yn digwydd naill ai o flaen yr enw, neu ar ôl yr enw, neu o flaen ac ar ôl yr enw. Mae ffurfiau megis *y, ei, pob, hen, glas, cyfoethog, mawr, rhydlyd, y...hwn, y...honno, y...hynny,* yn oleddfwyr. Manylir ar wahanol fathau o oleddfwyr yn 42.

❐ Y **cyfyngydd**. Mae'r cyfyngydd yn digwydd bob amser ar ôl y pen ac y mae cyfyngwyr yn meddu ar gyfluniad cymal neu ymadrodd:

y car mawr rhydlyd ***a welsom ni***
pob hen gar mawr du rhydlyd ***a oedd yn y maes parcio***
y dyn ***yn y lleuad***
y gweithwyr ***i gyd***

Manylir ar y cyfyngydd yn 44.

Rhai ymadroddion enwol

Goleddfydd	Pen	Goleddfydd	Cyfyngydd
	Rhys		
ei	*gar*		
y	*gath*	*gysglyd*	*o flaen y tân*
	ci	*du*	
yr	*afal*	*coch*	*ar y goeden*
rhai	*llyfrau*	*diddorol*	*a brynais*
yr hen	*gythraul*	*diflas, hirwyntog*	*o Landudno*

Mae'r enghreifftiau uchod yn dangos goleddfwyr yn digwydd naill ai o flaen neu ar ôl y pen, ond y pen yw'r unig elfen anhepgor. Gall y pen rannu dwy elfen y goleddfydd didoledig:

Goleddfydd didoledig	Pen	Goleddfydd didoledig
y	*ci*	*hwn*
y	*llyfr*	*yma*
y	*ferch*	*honno*
y	*pethau*	*hynny*
y	*wraig*	*yna*

Rhagor am y pen

Nid enwau yn unig sy'n gallu cyflawni swyddogaeth **pen** yng nghyfluniad yr ymadrodd enwol; gall ffurfiau eraill, yn ogystal, weithredu fel pen. Er enghraifft,

❒ Rhagenw (gw. 47, 48) neu ragenwolyn megis *un, amryw, rhai, llawer, pawb, rhagor, gormod:*

> ***Myfi** sy'n magu'r baban.*
> ***Pwy** sy'n magu'r baban?*
> *Yr **un** sy'n magu'r baban.*
> ***Ti** yw gwreiddyn y drwg*
> *Mae **amryw** yn darllen Golwg.*
> *Bu **llawer** yn cwyno.*
> *Clywais **hi**.*

❒ Berfenw (gw. 21):

canu swynol
*y **cymeradwyo** byddarol*
*y **darllen** a'r **gwrando***
*y **gweddïo** a'r **myfyrio***
*y **chwyrnu** a'r **chwysu***
*y **bwyta** a'r **yfed***
*y **papuro** a'r **paentio***

❒ Gall person y ferf bersonol gynrychioli pen yr ymadrodd enwol (gw. 16):

gwelais
eisteddodd
ysgrifenna
canaf
haeddai

❒ Ansoddair (gw. 49):

*y **tal** a'r **tenau***
*y **tlawd** a'r **cyfoethog***
*y **du** a'r **gwyn***
*y **cochion** a'r **gleision***
*y **mud** a'r **byddar***
*yr **ystyfnig** a'r **llywaeth***
*y **sychedig***

❒ Rhifol neu drefnol:

*y **naw***
*fy **nhri** i*
*dy **ail** di*
*y **deg** cyntaf*
*y **trydydd***

32 *Enwau*

Yn draddodiadol dywedir bod **enw** yn ffurf sy'n dynodi person neu le neu beth neu syniad. Ond nid yw hwn yn ddiffiniad boddhaol o bell ffordd a hynny'n bennaf oherwydd nad yw'n cyfeirio o gwbl at sut y mae enw yn gweithredu yng ngramadeg yr iaith.

Sut y mae gramadeg yn diffinio enwau?

Mae ffurf yn enw os yw'n ateb rhai o'r gofynion isod.

❐ Gall weithredu fel **pen** mewn ymadrodd enwol (gw. 31).

❐ Gellir ei ddilyn neu ei ragflaenu gan **oleddfydd** (gw. 31).

❐ Gellir ei ddilyn gan **gyfyngydd** (gw. 31)

❐ Mae gan enwau ffurfiau gwahanol ar gyfer dynodi'r **unigol** a'r **lluosog** (gw. 34).

❐ Mae enwau naill ai'n wrywaidd neu'n fenywaidd o ran cenedl (gw. 39).

❐ Gellir ychwanegu **terfyniadau** atynt i ffurfio ansoddeiriau neu ferfenwau neu enwau eraill. Er enghraifft, *plentyn-**aidd**, dial-**gar**, enw-**i**, rhwyd-**o**, llwy-**aid***.

Dosbarthu enwau

Gellir dosbarthu enwau'n dri prif ddosbarth, sef enwau priod, enwau cyffredin ac enwolion. Gellir dosbarthu enwau cyffredin ymhellach yn enwau rhif ac yn enwau heb rif:

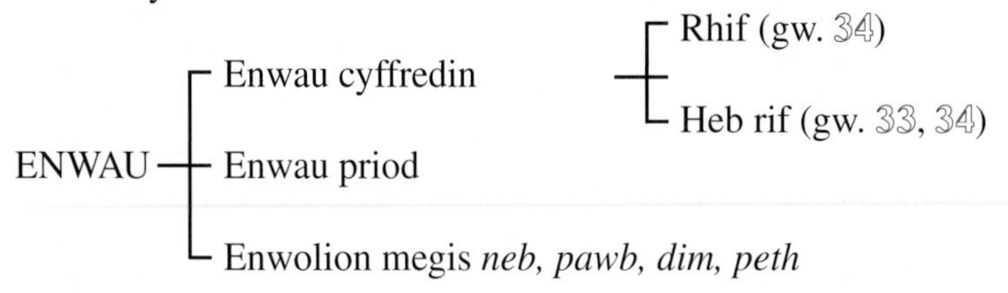

Sylwyd eisoes ar nodweddion enwol y berfenw (gw. 20).

33 *Enwau priod ac enwau cyffredin ac enwolion*

Mae **enwau priod** yn ffurfiau sy'n cyfeirio at bobl benodol, lleoedd penodol, cyfnodau neu achlysuron penodol, cyhoeddiadau etc., ac fe'u hysgrifennir, fel rheol, â phriflythyren: *Dafydd, Llanybydder, y Nadolig, Golwg, Abaty Talyllychau, Geiriadur Prifysgol Cymru, Norwy, William Jones.*

> Er bod rhai o'r enwau priod uchod yn cynnwys mwy nag un gair, fe'u hystyrir yn un uned.
>
> Mae amryw enwau lleoedd a gwledydd megis *Y Gelli, Pen-y-bont ar Ogwr, Y Ffindir,* enwau rhai afonydd megis *Y Fenai, Yr Iorddonen* ac enwau gwyliau arbennig megis *y Pasg, y Calan* yn cynnwys y fannod; ystyrir mai un uned yw'r rhain yn ogystal.

Mae pob enw arall yn **enw cyffredin**, a dosberthir enwau cyffredin yn ôl a ddynodant rif ai peidio h.y. yn ôl a allant ddewis rhwng unigol, er mwyn dynodi un, a lluosog er mwyn dynodi mwy nag un (gw. 34). Mae pob **enw rhif** yn rhifadwy h.y. gallant ddigwydd mewn cyd-destun megis *un...dau/dwy...tri/tair* etc. Er enghraifft, *cath, tŷ, car, llyfr, silff, myfyriwr, cleren, haf, gwlad, tafodiaith, merch.*

Mae **enw heb rif** yn dynodi haniaethau neu bethau na ellir mo'u cyfrif na'u rhifo'n fanwl a phenodol. Gallant ddewis yr unigol o ran rhif yn unig (gw. 34). Y prif wahaniaeth gramadegol rhwng enw rhif ac enw heb rif yw nad oes, fel rheol, ffurf luosog i enw heb rif: *bara, sebon, hiraeth, traffig, petrol, anufudd-dod* etc. Gallant, sut bynnag, ddigwydd mewn cyd-destun megis *llawer o.../ychydig o...*: *llawer o hiraeth, ychydig o wres*. Gelwir enwau heb rif yn **enwau cynnull** yn ogystal.

Gellir dangos y gwahaniaeth rhwng enw rhif ac enw heb rif trwy graffu ar y ffurfiau *torth* a *bara.* Mae *torth* yn enw unigol; ei luosog yw *torthau*: mae *bara* yn enw heb rif neu'n enw cynnull. Gellir cyfrif enwau rhif – *dwy dorth* – ond ni ellir cyfrif enwau cynnull er y gellir dynodi rhan neu gyfran o lawer ohonynt trwy gysylltu'r ffurf sy'n dynodi'r rhaniad a'r enw cynnull â'r arddodiad *o*:

darn o lo
bar o siocled
diferyn o gwrw
pwl o chwerthin

Mewn cyd-destun arbennig gall enwau priod weithredu fel enwau cyffredin h.y. gellir ffurf luosog arnynt:

Nhw yw'r Jonsiaid.

Enwau haniaethol ac enwau diriaethol

Gellir rhannu enwau rhif ac enwau heb rif ymhellach yn enwau haniaethol ac enwau ddiriaethol. Cyfeiria enwau diriaethol at bethau canfyddadwy a mesuradwy (*llyfr, Dafydd Jones, menyn, gwynt*). Cyfeiria enwau haniaethol at ansawdd neu syniadau neu ystyron neu briodoleddau nad ydynt yn union ganfyddadwy a mesuradwy (*trugaredd, harddwch, prydferthwch, hiraeth, cyfeillgarwch, rhyddid, bryntni*).

Enwolion

Er enghraifft,

*Mae **pawb** wedi diflannu.*
*Does **neb** ar ôl.*
*Nid oes **neb** o'r chwaraewyr yn awyddus i deithio.*
*Doedd **dim** ar y ddesg.*
*Does **dim** yno.*
*Mae **peth** ganddi.*

Digwydd *neb* mewn cymal negyddol yn unig a bydd yn cyfeirio at bersonau; ond gall *dim* ddigwydd mewn brawddeg negyddol neu gadarnhaol:

Dim mewn brawddeg negyddol
*Nid oes **dim** ar ôl.*
*Nid oes **dim** bwyd yn y cwpwrdd.*

Digwydd **dim** yn gadarnhaol mewn ymadroddion megis *i'r dim, ond y dim*:

*Mae e i'r **dim.***
*Bu ond y **dim** iti foddi.*

34 *Unigol a lluosog*

Y mae gan y rhan fwyaf o enwau cyffredin ffurf **unigol** a ffurf **luosog** er mwyn gallu gwahaniaethu rhwng 'un' a 'mwy nag un'. Y mae nifer fechan o enwau naill ai heb ffurf unigol neu heb ffurf luosog (gw. 37).

Gellir ffurfio'r unigol o'r lluosog yn y dulliau isod:

❒ **Trwy newid llafariad**

Er enghraifft,

Unigol	Lluosog	Unigol	Lluosog
llygad	*llygaid*	*iâr*	*ieir*
astell	*estyll*	*corn*	*cyrn*
croen	*crwyn*	*ffon*	*ffyn*
post	*pyst*	*arth*	*eirth*
car	*ceir*	*macrell*	*mecryll*
sant	*saint*	*oen*	*ŵyn*
troed	*traed*	*Cymro*	*Cymry*

❒ **Trwy ychwanegu terfyniad**

Er enghraifft,

Unigol	Lluosog	Unigol	Lluosog
adeilad	*adeiladau*	*esgid*	*esgidiau*
awel	*awelon*	*esgob*	*esgobion*
bwced	*bwcedi*	*pont*	*pontydd*
ewin	*ewinedd*	*lle*	*lleoedd*
merch	*merched*	*gof*	*gofaint*
cath	*cathod*	*estron*	*estroniaid*
ych	*ychen*	*merch*	*merched*
eog	*eogiaid*	*bys*	*bysedd*
estron	*estroniaid*	*llys*	*llysoedd*
llofft	*llofftydd*	*olwyn*	*olwynion*
camel	*camelod*	*cyfres*	*cyfresi*

Y terfyniad mwyaf cynhyrchiol yw *-au* a sylweddolir ar lafar gan *-a* (yn y de-ddwyrain a'r gogledd-orllewin) neu *-e* (yn y de-orllewin a'r gogledd-ddwyrain):

pethau	*petha*	*pethe*
llwyau	*llwya*	*llwye*

At ychydig enwau'n unig yr ychwanegir *-aint, -ed, -edd, -en,*

Mewn benthyceiriau o'r Saesneg megis *bocs, bws, nyrs, garej,* mae'r terfyniad lluosogi Saesneg wedi hen ymsefydlu yn yr iaith safonol: *bocsys* (hefyd *bocsiau*), *bysys* (hefyd *bysiau*) *nyrsys, garejys.* Ar lafar digwydd y terfyniad lluosogi Saesneg mewn ffurfiau benthyg megis *plwmz, plwms* ac mewn ffurfiau brodorol megis *drudwnz, drudwns.* Gall y terfyniad hwn, yn ogystal, ffurfio lluosog dwbl (gw. 35):

Unigol	Lluosog	Lluosog dwbl
milgi	*milgwn*	*milgwnz, milgwns*
corgi	*corgwn*	*corgwnz, corgwns*

❒ **Trwy ychwanegu terfyniad a newid llafariad**

Er enghraifft,

Unigol	Lluosog	Unigol	Lluosog
caib	*ceibiau*	*awr*	*oriau*
Sais	*Saeson*	*cwch*	*cychod*
cwm	*cymoedd*	*buwch*	*buchod*
mab	*meibion*	*gwraig*	*gwragedd*
maes	*meysydd*	*cawr*	*cewri*

❒ **Trwy golli terfyniad unigol** (**-yn** neu **-en**)

Er enghraifft,

Unigol	Lluosog	Unigol	Lluosog
mochyn	*moch*	*blewyn*	*blew*
ffawydden	*ffawydd*	*pysgodyn*	*pysgod*
seren	*sêr*	*pysen*	*pys*
bresychen	*bresych*	*moronen*	*moron*

❐ Trwy golli terfyniad unigol a newid llafariad
Er enghraifft,

Unigol	Lluosog	Unigol	Lluosog
deilen	*dail*	*chwannen*	*chwain*
collen	*cyll*	*plentyn*	*plant*

❐ Trwy newid terfyniad unigol am derfyniad lluosog
Er enghraifft,

Unigol	Lluosog	Unigol	Lluosog
blodyn	*blodau*	*diferyn*	*diferion*
meddwyn	*meddwon*	*dieithryn*	*dieithriaid*

❐ Trwy newid terfyniad unigol am derfyniad lluosog ynghyd â newid llafariad
Er enghraifft,

Unigol	Lluosog	Unigol	Lluosog
miaren	*mieri*	*teclyn*	*taclau*
cerdyn	*cardiau*	*cerpyn*	*carpiau*

Y mae amryw ffurfiau lluosog sy'n afreolaidd h.y. heb fod yn ffurfio'u lluosog yn unol â'r drefn a fras ddisgrifiwyd uchod neu sy'n hollol gyfyng eu dosbarthiad. Er enghraifft.

Unigol	Lluosog
blwyddyn	*blynyddoedd, blynedd* (yn dilyn rhifol)
ci	*cŵn*
credadun	*credinwyr*
chwaer	*chwiorydd*
dydd	*diau* (yn y ffurf *tridiau* yn unig)
haearn	*heyrn*
morwyn	*morynion, morwynion*
gŵr	*gwŷr*
rhiant	*rhieni*

Collir sillaf ragobennol, sef sillaf sy'n rhagflaenu'r sillaf olaf ond un, mewn rhai ffurfiau lluosog:

Unigol	Lluosog	Unigol	Lluosog
llysywen	*llyswennod*	*perchennog*	*perchnogion*
cystadleuaeth	*cystadleuthau*	*cymydog*	*cymdogion*

Mae'r lluosog yn afreolaidd mewn ffurfiau cyfansawdd yn *-dy/-ty*. Er enghraifft:

Unigol	Lluosog
beudy	*beudyau, beudai, beudái*
bwyty	*bwytyau, bwytai*
ysbyty	*ysbytau, ysbytai*
gwesty	*gwestyau, gwestai*

> Digwydd *gwestai* yn ogystal fel enw unigol yn dynodi 'gŵr gwadd, ymwelydd'.

Ffurfir y lluosog o darddair. Er enghraifft:

Unigol	Lluosog
addurn	*addurniadau*
Cristion	*Cristionogion, Cristnogion*
diwedd	*diweddiadau*
glaw	*glawogydd*
llif	*llifogydd*
rheg	*rhegfeydd*

> Ceir olion yr hen rif deuol mewn amryw eiriau cyfansawdd gyda *deu-* a *dwy-*; digwydd treiglad meddal yn nghytsain flaen ail elfen y cyfansoddeiriau isod:
>
> | Unigol | Rhif deuol |
> |---|---|
> | *grudd* | *deurudd* |
> | *dwrn* | *deuddwrn* |
> | *dyn* | *deuddyn* |
> | *llaw* | *dwylaw, dwylo* |
> | *clust* | *dwyglust* |
> | *gên* | *dwyen* |
> | *braich* | *dwyfraich* |
> | *glin* | *deulin* |
>
> Ni cheir treiglad meddal yn *deupen, deutu.*

Y mae ystyr wahanol i'r term *lluosog* mewn system sy'n cynnwys rhif deuol. Mewn system sy'n cynnwys *unigol* a *lluosog*, ystyr *lluosog* yw 'mwy nag un'; mewn system sy'n cynnwys unigol, rhif deuol a lluosog, ystyr *lluosog* yw 'mwy na dau'.

35 *Lluosog dwbl*

Y mae lluosog dwbl gan amryw enwau.

❐ Chwanegir y terfyniadau bachigol (gw. 38) *-ach*, *-os*, at y lluosog:

Unigol	Lluosog	Lluosog dwbl bachigol
crydd	*cryddion*	*cryddionach*
dilledyn	*dillad*	*dilladach, dillados*
gwraig	*gwragedd*	*gwrageddos*
plentyn	*plant*	*plantos, plantach*
dyn	*dynion*	*dynionach*

Ar lafar digwydd y ffurfiau canlynol:

Unigol	Lluosog	Lluosog dwbl bachigol
crwt(yn)	*cryts*	*crytsach*
crotyn	*crots*	*crotsach*

Newidir seiniau weithiau:

Unigol	Lluosog	Lluosog dwbl bachigol
ci	*cŵn*	*cynos*
tŷ	*tai*	*teios*
oen	*ŵyn*	*wynos*
pryf	*pryfed*	*pryfetach*

Weithiau chwanegir y terfyniad at y ffurf unigol:

Unigol	Lluosog	Lluosog dwbl bachigol
carreg	*cerrig*	*caregos*
gwerin	*gwerinoedd*	*gwerinach, gwerinos*

Ar lafar mae'r ffurfiau isod yn gyffredin:

Unigol	Lluosog	Lluosog dwbl bachigol
dŵr	*dyfroedd*	*dwrach*
bwyd	*bwydau, bwydydd*	*bwydach*
gêr	*ger(i)au, gêrs*	*geriach*

❐ Chwanegir terfyniad lluosog at ffurf sydd eisoes yn lluosog:

Unigol	Lluosog	Lluosog dwbl
celain	*celanedd*	*celaneddau*
cloch	*clych*	*clychau*
neges	*negesau*	*negeseuon, negeseuau*
peth	*pethau*	*petheuau*
sant	*saint*	*seintiau*
tŷ	*tai*	*teiau*
llo	*lloi, lloe*	*lloeau, lloeon*

Ar lafar chwanegir y terfyniad lluosogi Saesneg *-s* i ffurfio'r lluosog dwbl mewn enghreifftiau megis,

Unigol	Lluosog
corgi	*corgwn corgwns*
milgi	*milgwn milgwns*

A chlywir hyd at dair ffurf luosog i rai enwau unigol yn *-wr*:

Unigol	Lluosog
ffarmwr	*ffarmwrs ffermwyr ffermwyrs*
pregethwr	*pregethwrs pregethwyr pregethwyrs*

36 *Enwau â mwy nag un lluosog*

❒ **Yr un ystyr a geir i'r ffurfiau lluosog isod**:

Unigol	Lluosog
eglwys	*eglwysi, eglwysydd*
tref	*trefi, trefydd*
capel	*capeli, capelydd*
plwyf	*plwyfi, plwyfydd*
pêl	*pelau, peli*
pibell	*pibellau, pibelli*
canhwyllbren	*canwyllbrenni, canwyllbrennau*
cell	*cellau, celloedd*
oes	*oesau, oesoedd*
llythyr	*llythyrau, llythyron*
glan	*glannau, glennydd*
caer	*caerau, caeroedd, ceyrydd*
wal	*waliau, welydd*
gwinllan	*gwinllannau, gwinllannoedd*
amser	*amserau, amseroedd*
cath	*cathod, cathau*
padell	*pedyll, padellau, padelli*
chwarel	*chwareli, chwarelau, chwarelydd*
alarch	*elyrch, eleirch*
mynach	*mynaich, mynachod*
gwely	*gwelyau, gwelâu*
gwersyll	*gwersylloedd, gwersyllau*
mynydd	*mynyddoedd, mynyddau*
Groegwr	*Groegwyr, Groegiaid*
Gwyddel	*Gwyddyl, Gwyddelod*
Llydawr	*Llydawyr, Llydawiaid*

❒ **Pan fo dwy ystyr i'r ffurf unigol, ceir weithiau wahaniaeth ffurfiau yn y lluosog i adlewyrchu'r ystyron gwahanol yn yr unigol**. Er enghraifft,

Unigol	Lluosog	Lluosog
asen	*asennau* 'esgyrn'	*asennod* 'asyn benyw'
bron	*bronnau* 'chwyddiadau ar fynwes benyw'	*bronnydd* 'llethrau'
brawd	*brodyr* 'meibion o'r un rieni'	*brodiau* 'dedfrydau llys'
cais	*ceisiadau* 'ymdrechion'	*ceisiau* 'sgôr ar faes rygbi'
canon	*canonau* 'rheolau'	*canoniaid* 'clerigwyr'
dosbarth	*dosbarthau* 'rhaniadau'	*dosbarthiadau* 'adrannau mewn ysgol'
cyngor	*cynghorau* 'cyfarfodydd'	*cynghorion* 'cyfarwyddiadau'
llif	*llifogydd* 'cerhyntau'	*llifiau* 'arfau i lifio'
llwyn, lwyn	*llwynau, lwynau* 'rhannau o'r corff'	*llwyni, llwynau* 'planhigion'
llwyth	*llwythau* 'pobloedd'	*llwythi* 'beichiau'
mil	*miloedd* 'rhifol'	*milod* 'creaduriaid'
person	*personau* 'pobl'	*personiaid* 'offeiriaid'
pryd	*prydiau* 'amseroedd'	*prydau* 'bwydydd'
pwys	*pwysi* '16 owns'	*pwysau* 'trymder gwrthrych'
ysbryd	*ysbrydion* 'bwganod'	*ysbrydoedd* 'eneidiau'

Y mae gan rai enwau fwy nag un ffurf unigol. Nodir y ffurfiau sy'n digwydd yn fwyaf cyffredin dan sêr:

Unigol	Lluosog
**cleddyf, cleddau*	*cleddyfau*
**dant, daint*	*dannedd*
**dŵr, dwfr*	*dyfroedd*
neddyf, neddau	*neddyfau*
côl, cofl	*coflau*
**edau, *edefyn*	*edafedd*
**gwyryf, gwyry, gwyrf, gwyrydd*	*gweryddon*
**pared, parwyd*	*parwydydd*
**gwarthol, gwarthafl, gwrthafl*	*gwarthaflau*
arf, erfyn	*arfau*
mil, milyn	*milod*
ysgallen, ysgellyn	*ysgall*
cawnen, conyn	*cawn*
hoel, hoelen	*hoelion*

37 *Enwau heb ffurf unigol ac enwau heb ffurf luosog*

Nid oes ffurf unigol a ffurf luosog i bob enw a gellir dosbarthu enwau o'r fath yn enwau heb ffurf unigol ac enwau heb ffurf luosog.

❐ Enwau heb ffurf unigol

llodrau	*trigolion*
gwehilion	*ysgarthion*
ysgubion	*pigion*
bawcoed	*gwartheg*
creifion	*ymysgaroedd*
telerau	*lloffion*
dychweledigion	*glafoerion*
teithi	

> Gynt perthynai *rhieni* i'r dosbarth hwn, ond bellach mabwysiadwyd y ffurf *rhiant* i ddynodi'r unigol.
>
> Mae'n gyffredin mewn llyfrau gramadeg a geiriaduron nodi *plwyfolion, aeron* a *creision* yn y dosbarth hwn, ond mae'r ffurfiau unigol *plwyfolyn, aeronen, creisionen / creisionyn* wedi cydio ar lafar ac mewn ysgrifennu cyfoes.

❐ Enwau heb ffurf luosog

I Llawer o enwau haniaethol er enghraifft,

newyn	*syched*
ffydd	*tywydd*
gwres	*caredigrwydd*
tegwch	*glendid*
ffyddlondeb	*tristwch*

II Enwau'n dynodi defnyddiau neu sylweddau er enghraifft,

mêl	*glo*
olew	*uwd*
caws	*siwgr*
te	*ymenyn*
eira	*medd*
iâ	

III Rhai enwau bachigol yn *-ig, -an, -cyn, -cen*, er enghraifft,

afonig	*dynan*
ffwlcyn	*ffwlcen*

> Digwydd ffurf luosog i rai enwau bachigol â'r terfyniadau hyn: *llecyn, llecynnau; bryncyn, bryncynnau.*

IV Enwau priod, er enghraifft,

Cymru	*Dyfed*
Dafydd	*Chwefror*
Yr Wyddfa	*Y Pasg*
Llanelli	*Barddas*

> Digwydd y ffurfiau lluosog *Gwenerau, Sadyrnau, Suliau, ond dyddiau Llun, boreau Mawrth, prynhawniau Mercher, nosweithiau Iau.*

V Enwau ar rai planhigion ac adar, er enghraifft,

dant y llew	*titw tomos las*
barf yr hen ŵr	*glas y dorlan*

VI Ffurfiau megis *syr, madam, dynes, camre, bun, iôr.*

VII Ffurfiau benthyg megis, *diagnosis, synthesis*

38 *Terfyniadau bachigol*

Yn gyffredinol terfyniadau yw'r rhain sydd yn arwyddo'r math bychan o'r hyn a ddynoda'r gair gwreiddiol.

❒ Chwanegir y terfyniadau bachigol *-ach, -os*, at rai enwau unigol ac at rai enwau lluosog i ffurfio lluosog dwbl bachigol, gw. 35.

❒ Chwanegir y terfyniadau bachigol *-ach, -an, -ig, -ell, -yn, -cyn, -cen* at enwau unigol. Er enghraifft,

-ach	*cor*	*corrach*
	pobl	*poblach*
-an	*dyn*	*dynan*
	gwraig	*gwreigan*
	mab	*maban*
	llyfr	*llyfran*
-ig	*oen*	*oenig*
	afon	*afonig*
	cân	*canig*
	geneth	*genethig*
-ell	*traeth*	*traethell*
	hun	*hunell*
-yn	*pamffled*	*pamffledyn*
	cwpan	*cwpenyn*
	bachgen	*bachgennyn*
	llanc	*llencyn*

> Yn *crafionyn* chwanegir y terfyniad bachigol at y ffurf luosog *crafion*.

-cyn (gwr.)	*bryn*	*bryncyn*
	lle	*llecyn*
	ffŵl	*ffwlcyn*
-cen (ben.)	*ffŵl*	*ffolcen*

39 *Cenedl enwau*

Y mae pob enw cyffredin (gw. 32, 33) yn y Gymraeg naill ai'n **enw gwrywaidd** neu'n **enw benywaidd**. Hynny yw, y mae **cenedl** pob enw cyffredin naill ai'n wrywaidd neu'n fenywaidd.

Mae rhai enwau yn wrywaidd beth bynnag fo rhyw y person a ddynodir. Er enghraifft,

tyst
baban
gweinidog
meddyg
cymar
disgybl

Gwrywaidd hefyd fydd pob elfen sy'n goleddfu (gw. 31, 42) yr enwau hyn:

tri baban
y gweinidog hwnnw

Bydd rhai enwau'n amrywio o ran eu cenedl:

I Yn ôl arfer ardal neu dafodiaith. Er enghraifft,

angladd
breuddwyd
troed
tafarn
clust
cwpan
munud
delfryd
rhyfel
nifer
cinio
penbleth

cyflog
clorian
emyn
pennill
delfryd
llygad

II Yn ôl ystyr. Er enghraifft,

brawd (gwr.) 'mab o'r un tad'
brawd (ben.) 'barn'

coes (gwr.) 'handlen'
coes (ben.) 'aelod sy'n galluogi i ddyn neu anifael gerdded'

ewyllys (gwr.) 'y gallu i ddewis'
ewyllys (ben.) 'llythyr cymyn'

golwg (gwr.) 'cwmpas y llygad'
golwg (ben.) 'gwedd'

gwaith (gwr.) 'llafur; gweithle'
gwaith (ben.) 'achlysur'

man (gwr.) 'lleoliad'
man (ben.) yn yr ymadrodd *yn y fan* 'ar unwaith'

math (gwr.) 'dosbarth'
math (ben.) 'hafal'

mil (gwr.) 'creadur'
mil (ben.) '1,000'

Er enghraifft,

fy mrawd bach, dydd y frawd,
ewyllys da, ewyllys gyntaf fy mam,
yn y golwg, gwael yr olwg,
y coes hwn, y goes hon,
yn y man hwn, yn y fan,
dau fath, y fath beth.

III Oherwydd ansicrwydd ynglŷn â chenedl mewn benthyceiriau diweddar. Er enghraifft:

blows
record
coler
piano
stamp

Y mae cenedl gwrthrychau byw yn cyfateb fel rheol i ryw y gwrthrych a ddynodir gan yr enw; gwrywaidd yw anifeiliaid gwryw a benywaidd yw anifeiliaid benyw. Er enghraifft,

gwrywaidd: *bachgen, ci, tarw, gwas, march, ceiliog, tad, mynach, nai.*
benywaidd: *merch, gast, buwch, morwyn, caseg, iâr, mam, lleian, nith.*

Digwydd, yn ogystal, rai **enwau deuryw**, sef enwau nad yw eu cenedl yn amrywio yn ôl rhyw'r gwrthrychau a ddynodant. Er enghraifft,

gwrywaidd: *plentyn, baban, barcud, ehedydd, bardd, dryw.*
benywaidd: *cath, tylluan, mwyalchen, ysgyfarnog.*

Gall yr ansoddeiriau (gw. 49) *gwryw* a *benyw* ddilyn enw deuryw weithiau ond fel rheol ni newidir cenedl yr enw: *baban gwryw, cath wryw*. Eithriad cyffredin yw *llo*: *llo gwryw, llo fenyw*.

Ffurfir rhai enwau benywaidd:

I Trwy chwanegu -*es* at yr enw gwrywaidd. Er enghraifft,

Gwrywaidd	Benywaidd
arglwydd	*arglwyddes*
llew	*llewes*
plismon	*plismones*
llanc	*llances*
maer	*maeres*
pechadur	*pechadures*
actor	*actores*
telynor	*telynores*

Weithiau chwanegir **-es** at fôn sy'n wahanol i'r ffurf wrywaidd. Er enghraifft,

Gwrywaidd	Benywaidd
athro	*athrawes*
Sais	*Saesnes*
Cymro	*Cymraes*
lleidr	*lladrones*

II Trwy gyfnewid y terfyniad *-yn* am *-en*. Er enghraifft,

Gwrywaidd	Benywaidd
asyn	*asen*
crwtyn	*croten*
hogyn	*hogen*
merlyn	*merlen*

III Trwy gyfnewid y terfyniad *-wr* am *-es*. Er enghraifft,

Gwrywaidd	Benywaidd
cenhadwr	*cenhades*
Almaenwr	*Almaenes*
Groegwr	*Groeges*

IV Trwy gyfnewid y terfyniad *-(i)wr* am *-wraig* neu am y ffurf amrywiol a chyfystyr *-reg*. Er enghraifft,

Gwrywaidd	Benywaidd
pysgotwr	*pysgotwraig*
myfyriwr	*myfyrwraig*
cantwr	*cantwraig, cantreg*
gweithiwr	*gweithwraig, gweithreg*

V Trwy roi yr enwau *bwch* neu *ceiliog* at y ffurf fenywaidd er mwyn dynodi'r gwrywaidd. Er enghraifft,

Benywaidd	Gwrywaidd
gafr	*bwch gafr*
cwningen	*bwch cwningen*
bronfraith	*ceiliog bronfraith*
ffesant	*ceiliog ffesant*

Y mae gwrywaidd a benywaidd rhai enwau sy'n dynodi creaduriaid ac aelodau o'r teulu naill ai heb berthynas rhyngddynt neu'n ffurfiau gwahanol. Er enghraifft,

Gwrywaidd	Benywaidd
tad	*mam*
ewythr	*modryb*
tad-cu, taid	*mam-gu, nain*
ci	*gast*
carw	*ewig*

Dosbarthu enwau sy'n dynodi pethau difywyd

Ni ellir rhoi canllawiau pendant ar gyfer dosbarthu enwau pethau difywyd.

❒ Y mae'r enwau canlynol yn wrywaidd:

I *tymor* ac enwau'r tymhorau: *gwanwyn, haf, hydref, gaeaf.*

II *mis* ac enwau'r misoedd: *(Mis) Ionawr, Chwefror,* etc.

III *dydd, diwrnod* ac enwau'r dyddiau: *Dydd Sul, Dydd Gwener, Calan, Nadolig* etc.

Enw benywaidd yw *gŵyl* ac enwau gwyliau: *Gŵyl Fair, Gŵyl Fihangel* etc.

IV *gwynt* ac enwau pwyntiau'r cwmpawd: *gogledd, de, dwyrain, gogledd-ddwyrain* etc.

V enwau'n dynodi sylwedd neu fater: *arian, aur, haearn, cig, medd, calch, te, cwrw, llaeth, gwydr, melfed, sidan, cotwm, iâ,* etc.

Enwau benywaidd yw *torth, teisen, pastai, diod,* ffrwythau'n diweddu yn **-en**: *gellygen, eirinen.*

VI berfenwau: *canu, gweithio, chwarae, cysgu, yfed* etc.

> Y mae *gafael, cyfeddach* yn amrywio o ran eu cenedl.

❒ Y mae'r enwau canlynol yn fenywaidd:

I *gwlad* ac enwau'n dynodi gwlad neu ran o wlad: *tywysogaeth, cymdogaeth, ardal, bro, daear, teyrnas, ynys, Cymru, Yr Aifft, Morgannwg.*

> Enwau gwrywaidd yw *tir, rhandir, cyfandir, rhanbarth, parth, cylch.*

II *tref, llan, dinas, caer,* ac enwau trefi a dinasoedd: *Caerdydd, Llanbadarn Fawr* etc. Enwau lleoedd yn cynnwys *Tre(f)-, Llan-, Caer-, Ynys-, Ynys-, Ystrad-* etc.: *Trefranwen, Llanfair, Caerfyrddin, Ynys-ddu, Ystradgynlais* etc.

III *iaith, tafodiaith,* ac enwau'n dynodi ieithoedd a thafodieithoedd: *Y Gymraeg, yr Wyddeleg, y Ddyfedeg, y Wenhwyseg* etc.

> Pan gyfeirir at ansawdd yr iaith neu at gyfnod arbennig yn hanes yr iaith, y mae'r enw yn wrywaidd: *Cymraeg graenus, Ffrangeg cywir, Cernyweg Canol, Llydaweg Diweddar etc.*

IV *llythyren, cytsain, llafariad,* ac enwau llythrennau'r wyddor: *A fawr, dwy n, r ddwbl.*

V *afon, nant* ac enwau'n dynodi afonydd a nentydd: *Teifi, Dyfrdwy, Hafren, Y Fenai* etc.

> Gwrywaidd yw hen enwau sy'n cynnwys *Nant-*: *Nant-mawr, Nantlleidiog, Nantgarw.*

VI enwau sy'n dynodi mynyddoedd: *Y Fan, Yr Wyddfa, Y Foel, Carnedd Ddafydd* etc.

> Os yw *mynydd* neu *bryn* yn rhan o'r enw, yna y mae'r enw'n wrywaidd: *Y Mynydd Du, Mynyddmelyn, Bryn-glas.*

VII *coeden* ac enwau *coedydd: afallen, derwen, onnen* etc.

> Y mae enwau cyfansawdd a'u hail elfen yn *pren* (*-bren*) yn enwau gwrywaidd: *ffigysbren, cambren, esgynbren.* Y mae *croesbren* a *crocbren* yn amrywio o ran eu cenedl.

VIII enwau torfol sy'n dynodi pobl neu anifeiliaid. Er enghraifft, *cenedl, ciwed, ach, llinach, hil, cymanfa, cynhadledd, cymdeithas, buches, haid, mintai, byddin tyrfa, pobl.*

> Gwrywaidd yw cenedl yr enwau torfol canlynol: *teulu, tylwyth, llwyth, côr, cyngor, pwyllgor, bwrdd, undeb, cwmni, coleg, cynulliad, cyfarfod, enwad, gweithgor.*

Cenedl enwau tarddiadol

Enw tarddiadol yw'r term a ddefnyddir i ddisgrifio enw sydd wedi ei ffurfio drwy chwanegu dodiad at enw arall a ffurfio yn sgil hynny enw newydd (*tŷ-> tyaid*).

Gellir dosbarthu enwau tarddiadol yn ôl eu terfyniadau.

I Gwrywaidd, fel rheol, yw enwau tarddiadol â'r terfyniadau isod:

-ad: *cyflenwad, enwad, troad.*

> Y mae *galwad* yn amrywio o ran cenedl

-aint: *henaint.*
-deb: *cywirdeb, uniondeb, duwioldeb.*
-der: *poethder, blinder.*
-did: *glendid, endid.*
-dra: *glanweithdra, ffieidd-dra.*
-dwr: *cryfdwr, sychdwr.*
-edd: *amynedd, cydbwysedd, gwirionedd.*

Benywaidd yw *buchedd, cynghanedd, trugaredd.*

-had: *mwynhad, eglurhad.*

Benywaidd yw *ordinhad.*

-i: *tlodi, diogi, cwrteisi.*
-iad: *cariad, cysylltiad, tarddiad.*
-iant: *mwyniant, ffyniant.*
-ineb: *ffolineb, taerineb.*

Y mae *doethineb* yn amrywio o ran cenedl.

-ni: *noethni, bryntni, glesni.*
-ioni: *daioni, haelioni.*
-id: *cadernid, rhyddid.*

Y mae *addewid* yn amrywio o ran cenedl.

-awd, **-od**: *traethawd, unawd, cryndod.*

Benywaidd yw *trindod.*

-rwydd: *caredigrwydd, addasrwydd.*
-wch: *heddwch, tywyllwch, dedwyddwch.*
-yd: *iechyd, seguryd.*

II Benywaidd, fel rheol, yw enwau tarddiadol â'r terfyniadau isod:

-aeth, **-iaeth**: *gwybodaeth, brawdoliaeth, gwyddoniaeth, athroniaeth, dirnadaeth swyddogaeth, amheuaeth, diwinyddiaeth, barddoniaeth, rhagluniaeth, rhagoriaeth.*

> Gwrywaidd yw: *gwasanaeth, darfodedigaeth, hiraeth, gwahaniaeth*. Y mae *claddedigaeth* yn amrywio o ran cenedl.

-as: *priodas, teyrnas, perthynas.*
-fa: *noddfa, graddfa, porfa, amddiffynfa.*
-en, **-cen**: *hogen, seren, ffolcen.*

> Gwrywaidd yw *maharen.*

-es: *lewes.*
-ell: *llinell, pothell, tarddell.*

> Nid dodiaid mo *-es, -ell*, yn yr enwau gwrywaidd *hanes, castell, cawell.*

III Yr un yw cenedl enwau tarddiadol yn diweddu yn *-aid*, *-od* â'r enwau hynny y chwanegwyd y terfyniadau atynt. Er enghraifft,

Gwrywaidd	Benywaidd
tŷ, tyaid	*casgen, casgenaid*
crochan, crochanaid	*padell, padellaid*
bocs, bocsaid	*basgaid, basgedaid*
cleddyf, cleddyfod	*ffon, ffonnod*

> Y mae *cwpan, cwpanaid*; *nyth, nythaid* yn amrywio o ran eu cenedl.

Cenedl enwau cyfansawdd

Enw cyfansawdd y gelwir enw sy'n cynnwys elfennau sy'n gweithredu'n annibynnol mewn cyd-destun arall er enghraifft *fferm* + *tŷ* > *ffermdy*; *gŵr* + *da* > *gwrda*.

I Fel rheol yr un yw cenedl **enw cyfansawdd rhywiog**, sef enw cyfansawdd a ffurfir pan yw ei elfen gyntaf yn goleddfu'r ail, â chenedl ail elfen y cyfansoddair. Er enghraifft, *glas* + *llanc* > *glaslanc*. Gwrywaidd yw cenedl y brif elfen (yr ail elfen) yn y cyfansoddair.

Enwau gwrywaidd yw *gweithdy, ffermdy, bracty*; enwau benywaidd yw *gwinllan, perllan*.

> Y mae llawer iawn o eithriadau. Er enghraifft, enwau benywaidd yw *canrif, pendro* er mai gwrywaidd yw *rhif, tro*.

II Yr un yw cenedl **enw cyfansawdd afrywiog**, sef enw cyfansawdd a ffurfir trwy gyfuno, dan un acen, ddau air sy'n digwydd yn eu trefn naturiol, â chenedl elfen gyntaf y cyfansoddair. Er enghraifft, enw gwrywaidd yw *gŵr*, felly hefyd *gwrda*; enw benywaidd yw *gwraig*, felly hefyd *gwreigdda*.

40 Cenedl a Rhyw

Ers chwedegau'r ganrif hon, cododd amryw fudiadau ac unigolion i gefnogi ymgyrchoedd o blaid hawliau cyfartal ar gyfer merched a dynion a hyn, yn ei dro, wedi arwain at ddatgan naill ai'n wirfoddol neu dan bwysau cyfreithiol o blaid polisi cyfartal. Yn y Saesneg yr oedd ffurfiau megis *chairman* a *the man in the street*, yn gallu peri tramgwydd. Datblygwyd, yn ogystal, feddalwedd gyfrifiadurol i ddiogelu awduron yn yr iaith fain rhag 'ieithwedd anghyfartal'. Yng Nghymru ymddangosodd fersiwn 'fenywaidd' o'r Anthem Genedlaethol, a bu ysgrifennu brwd a gogleisiol yn y wasg yng Nghymru ynglŷn â sut y dylai statws cyfartal gael ei adlewyrchu yn ieithyddol. Dan Ddeddf Gwahaniaethu ar Sail Rhyw 1975, mae hysbyseb sy'n defnyddio geiriau neu dermau sydd yn cyfleu'r bwriad i wahaniaethu ar sail rhyw yn erbyn dyn neu ferch, yn anhyfreithlon. Yn 1999 cyhoeddodd y Comisiwn Cyfle Cyfartal ganllawiau ar hysbysebu swyddi yn y Gymraeg. Cafodd y trafod effaith bendant ar y Gymraeg, gan ddylanwadu ar ddulliau o gyfansoddi brawddegau a llunio hysbysebion.

Dyma rai dulliau cyffredin o osgoi gogwydd wrywaidd neu ogwydd fenywaidd mewn ysgrifennu cyfoes:

❒ Dewis arddodiad 3ydd unigol gwrywaidd ac arddodiad 3ydd unigol benywaidd (gw. 64, 65):

Bydd y sawl a apwyntir yn rhan o dîm bychan a medrus a disgwylir ***iddo/iddi*** *gyfrannu'n sylweddol at ....*

❒ Dewis enw o genedl gwrywaidd ac enw o genedl benywaidd (gw. 39):

Gwahoddir ceisiadau am swydd ***athro/athrawes*** *ar gyfer y Dosbarth Anghenion Arbennig.*

❒ Dewis rhagenw ôl 3ydd unigol gwrywaidd a rhagenw ôl 3ydd unigol benywaidd (gw. 48):

Bydd ***ef/hi*** *yn gweithio gyda'r Cadeirydd.*

❒ Gellir hepgor y rhagenw ôl yn llwyr:

Bydd yn gweithio gyda'r Cadeirydd.

❒ Dewis rhagenw blaen neu fewnol 3ydd unigol gwrywaidd a rhagenw blaen neu fewnol 3ydd unigol benywaidd (gw. 48):

*Bydd **ei** gais/**ei** chais yn cael ei ystyried.*
*Rhoir pob ystyriaeth i'**w** gais/i'**w** chais.*

CERDD CATEGORI A!

PEIDIWCH Â GALW FI'N GADEIRYDD
GALWCH FI'N GADAIR!

Uchelgais ambell un yw ennill cadair
eisteddfodol, swyddogol neu genedlaethol,
awch arall cael eisteddian mewn cadair
un siglo, nid sigledig, ar derfyn dydd
a hynny ger tanllwyth o ymddiddan,
ambell gadair sy'n urddasol foethus
fel Cadair Cadeirydd y Cyngor,
yn solet, suddog, os nad esmwyth
bob tro, a beth am gadair Barnwr
un rymus ar y naw
uwch lol daearolion?

Yn iau, ar ôl symud i'r wlad
clywais am olchi 'cadeiriau'!
methu deall y byd amaethu a'r dull
o esmwytháu da, ar eu penliniau.

Ond ddoe, penderfynodd geneth
a fu fel myfi yn darbwyllo'r byd
bod rhagor i ferch na bod yn brennaidd,

ei bod AM fod yn gadair,

a beth ellwch chi ei wneud
gyda sylw mor wirion, ond
eistedd arni.

MENNA ELFYN.

Newyddiadurwr/wraig Dan Hyfforddiant (Rhanbarthol)

Mae gennym ni le ar y cynllyn rhagorol ar gyfer hyfforddi newyddiadurwyr eleni. Fe ddylai fod gennych addysg dda (gradd neu debyg), ymroddiad amlwg i newyddiaduraeth, diddordeb brwd a gwybodaeth am faterion cyfoes yng Nghymru ac ar draws Prydain.

Bydd y cwrs blwyddyn hwn, sy'n cynnig safon uchel o hyfforddiant proffesiynol dau- gyfrwng, yn cael ei drefnu gan Adran Hyfforddi New… cewch gyfnod o hyfforddiant ffurfiol o fis Mawrth i… ymarferol i ddilyn yn adrannau newyddion a materi… Cymru.

Os byddwch yn cyrraedd safon boddhaol cyn d… annog i ymgeisio am swyddi addas gyda BB…

Cyflog £11,998 y.f.

Am ffurflen gais…

Yn rhifyn Medi 1 o **Golwg**, rwy' i'n gweld fod amwysedd ynghylch cenedl enwau'n poeni llawer o bobol y dyddiau hyn, yn enwedig wedi i'r Comisiwn Cyfleoedd Cyfartal fod mor ffôl â honni fod geiriau sy'n gorffen yn '-wr' yn golygu dynion yn unig. Dyma pam, mae'n debyg, y mae oriel Ffotogallery yn hysbysebu am "gweinyddwr/wraig" heb sylweddoli nad oes angen y "wraig" o gwbwl gan mai'r gair "gweinyddwr" sy'n wrywaidd nid y person fydd yn dal y swydd.

Nid cydraddoldeb yw gwthio "-ydd" arnom ond llurgunio'r Gymraeg.

…arloesol i ryw raddau yw'r defnydd o ieithwedd niwtral, rhaid synio amdano fel gweithred gymdeithasol fwriadol gyda'r nod o godi ymwybyddiaeth o fewn y strwythur cyffredinol. Mae gwrthsefyll egwyddor ieithwedd gyfartal yn llesteirio unrhyw newid o ran agweddau a gweithredu. Ond gam wrth gam down i synio am rai ffurfiau penodol, yn enwedig ffurfiau gwrywaidd, fel ffurfiau sy'n perthyn i'r gorffennol.

Athro/
Athrawes
Gymraeg
Graddfa Safonol
Genedlaethol -
…- £19,062

Dime Goch

Mae Dime Goch yn chwilio am

YSGRIFE(N)NYDD(ES)/
CROESAWYDD PROFIADOL

i weithio yn eu swyddfa yng Nghaernarfon

Mae'r ymgais ddiweddar i ddileu pob gair gyda'r terfyniad *-wr* o'r iaith Gymraeg yn un hurt ac anwybodus. Mae'n debyg mai'r ddadl yw fod y terfyniad *-wr* yn nodi ffurf wrywaidd, ac y byddai terfyniad *-ydd* yn ddi-ryw.

Does a wnelo'r ffurf *-wr* ddim oll â rhyw. Rhennir geiriau Cymraeg yn ôl cenedl, ac nid yn ôl rhyw. Traddodiad Saesneg yw rhannu geiriau yn ôl rhyw.

…tends to advertisements in the Welsh language. The Welsh language will have to be updated to ensure it reflects the current developments in our society — the development of a more equal society for women and men.

… Dan ni ofn canu 'Yn Harbwr Corc yr oeddwn …' rhag ofn ei bod hi'n 'rhywiaethol' a hwyrach yn 'borthladdiaethol'. Synnwn i damaid na fydd rhyw gorff iaith yn cynnig cyn hir ein bod ni'n cael gwared ar y treigliadau. Gwarth o beth ydi bod enwau bach benywaidd ar eu pennau eu hunain yn cael eu GORFODI I DREIGLIO'N FEDDAL gan yr hen fannod gas. A dim ond drysu'r dysgwyr mae rhyw lol felly p'run bynnag.

…ty between women and men.

The Welsh Language Board must make the developments of gender-free language a priority if equal opportunity is to become a reality in Wales, and if the Welsh language is to be seen as a modern, developing European language.

Gweithio dros gyfle cyfartal

The Correct Version

FROM BEN MACINTYRE
IN NEW YORK

THE Oxford University Press will publish a politically correct version of the New Testament and Psalms in America this month, in which God is omnisexual and ambidextrous and the Jews are no longer held responsible for the death of Christ.

In the new translation, every allusion to the right hand of God has been deleted, since this might give offence to the left-handed, and the Lord's Prayer begins. "Our Father-Mother in Heaven." In the interests of racial harmony, references to the Jews killing Jesus have been erased while use of the word "darkness" to denote evil has been eliminated in deference to the sensibilities of the black community.

Similarly the word "Lord" is deemed to have connotations of male chauvinism, exploitation and colonialism, and is used only sparingly.

"Lord God doesn't cut it these days because we don't have lords," Susan Thistlewaite of the Chicago Theological Seminary, one of six American editors to work on the new Bible.

The editors even considered replacing "lord" with the completely neutral, "the One to Whom You Swear Allegiance" but, in a rare moment of insight, decided this was awkward.

The New Testament may be imported to Britain later this year.

DEDDF GWAHANIAETHU AR SAIL RHYW 1975

PRAWFRESTR RHEOLI HYSBYSEBU SWYDDI

Wrth ymdrin â hysbysebion swydd, dilynwch y pum rheol syml hyn:

1. Gwyliwch am eiriau fel Gweinyddwr, Gweithredwr, Ysgrifenyddes. Os defnyddir y rhain, sicrhewch bod yr hysbyseb hefyd yn cynnig y swydd yn glir i bersonau o'r ddwy ryw.
2. Sicrhewch na ellid tybio bod hysbysebion am swyddi a wnaed gan ddynion yn bennaf neu fenywod yn unig yn y gorffennol (e.e. peirianneg, teipio) yn dynodi y byddai'n well gan y cyflogydd y naill ryw na'r llall.
3. Os yw'r hysbyseb yn cynnwys y rhagenwau 'ef' a 'hi', sicrhewch y defnyddir 'ef neu hi' neu 'ef/hi', a bod hyn yn gyson drwy gydol yr hysbyseb.
4. Os nad yw eich client yn cytuno, galwch sylw at y ffaith bod yn rhaid i'r hysbyseb, mewn rhyw fodd neu'i gilydd, ei gwneud hi'n glir bod y swydd yn agored i ddynion a menywod.
5. Gall lluniau greu rhagfarnau hefyd. Os defnyddir lluniau, sicrhewch y dangosir dynion a menywod yn deg, o ran nifer ac amlygrwydd. Fel arall, dylid gosod gwadiad amlwg mor agos at y darlun ag sy'n bosibl.
6. Os yw eich client am hawlio eithriad i'r ddeddfwriaeth, mynnwch ddatganiad ganddynt yn egluro pam y credant fod y swydd wedi ei heithrio.

RHWYGWCH Y DDALEN HON O'R LLYFR A'I CHADW I GYFEIRIO ATI

LANGUAGE

Handbooks aim to remove sexism from descriptions

LARGE companies are being issued with handbooks aimed at purging the Welsh language of sexism, against the background of steadily increasing complaints.

The Equal Opportunities Commission is concerned that many job advertisements in Welsh are still using descriptions that imply the post is for one sex.

EOC monitoring has found that jobs are sometimes advertised using only the male ending, usually "-wr", or the female ending, "-wraig" or "-es".

The clampdown has been viewed with scepticism by some linguists who claim Welsh is naturally a gendered language.

The new rules may, for instance, mean Dawnswyr Nantgarw, the folk-dance group from Nantgarw, will have to be known as Dawnsyddion Nantgarw or else Dawnswyr a Dawnswragedd Nantgarw.

Noreen Bray, equal opportunities commissioner, said, "A traditional pattern emerged from our monitoring. For instance, 'ysgrifenyddes' for a personal secretary and 'ysgrifenydd' for a company secretary."

The new booklet, *The Sex Discrimination Act and Advertising*, advises the use of the "-ydd" ending. Where this is impractical male and female job titles should be used, making clear that men and women are welcome to apply for the position.

Ms Bray said, "The use of Welsh in job advertising is increasing because of the Welsh Language Act. We know that in Wales we have a particularly marked separation of occupations that are predominantly filled by women and those that are filled by men. We want to ensure they are equally entitled to apply for posts."

41 Y genidol

Pan fo perthynas ramadegol glos rhwng dau enw gelwir y berthynas rhyngddynt yn berthynas enidol.

Defnyddio'r genidol

❒ Er mwyn cyfleu perchnogaeth neu feddiant; dyma'r **genidol meddiannol pendant**, er enghraifft:

car fy ngwraig = ei char
tŷ'r ddol = ei thŷ
het y plentyn = ei het

Rhoir yr hyn a berchnogir yn union o flaen y ffurf sy'n dynodi'r perchen. Gall yr ail elfen fod yn enw priod (gw. 33):

car John = ei gar
arfordir Iwerddon = ei harfordir
pont Cwmann = ei phont

Gall cyfluniad o'r fath fod yn ymnythol h.y. gellir cyfresi o ymadroddion enwol yn ymnythu y naill o fewn y llall:

ffon mamgu'r plentyn
car tad cariad y ferch

Gall ansoddeiriau oleddfu'r enwau (gw. 42) yn y gyfres:

tad tew y ferch denau
hen gar du, rhydlyd
tarw bygythiol y ffermwr hwn
cariad newydd fy mrawd hynaf

Yn yr olyniadau uchod o flaen yr elfen olaf yn y gyfres yn unig y gall y fannod neu'r rhagenw blaen neu'r rhagenw dangosol ddigwydd. Os oes rhaid dynodi perthynas amhendant, naill ai gosodir y ddwy elfen ochr yn ochr:

het plentyn
tŷ dol

neu rhoir yr arddodiad *i* rhwng y ddwy elfen:

merch i weinidog
mab i forwr

❒ I ddynodi mesur, cyfnod neu gyfran. Dyma'r **genidol cyfrannol** a defnyddir yr arddodiad *o* i ddangos mai rhan yw'r enw meddianedig, sef yr enw cyntaf, o gyfanswm mwy. Er enghraifft yn yr olyniad *darn o'r mynydd* mae'r *mynydd* yn gyfanswm o 'ddarnau' mwy. Enghreifftiau pellach:

dydd o haf
rhan o'r tŷ
peint o gwrw
bwcedaid o ddŵr
galwyn o betrol
y trydydd Sul o'r mis
haid o hwyaid
aelod o'r Senedd
llwyth o lo

Gellir goleddfu (gw. 42) y naill elfen a'r llall yn y cyfluniad:

haid mawr o hwyaid gwyllt
yr aelod blaenllaw o'r Senedd grog

❒ Mewn **genidol cyfartal** (neu **enidol cyfosodol**) y mae dwy ran y genidol yn gyfartal:

crwt o golier
plentyn o Gymro
clamp o lyfr

Y mae dwy ran yr ymadroddion hyn yn ffurfio disgrifiad o'r gwrthrych a ddynodir: y mae *crwt o golier* yn *grwt* ac yn *golier*

❒ Mewn **genidol ansoddeiriol** (neu **enidol disgrifiadol**) swyddogaeth ddisgrifiadol neu ansoddeiriol sydd i'r genidol yn hytrach na swyddogaeth feddiannol:

carreg fedd	*cymanfa ganu*	*cerrig milltir*
gwialen bysgota	*llawr cerrig*	*siopau bwyd*

dyn dyfod *pwll glo* *ceffyl hela*
sioe flodau *tŷ to gwellt* *cae chwarae*
torrwr beddau *cawl cennin* *dannedd dodi*

Ni rennir elfennau'r olyniad gan oleddfwyr neu gyfyngwyr yr enw cyntaf:

cymanfa ganu lewyrchus *gwialen bysgota dda* *ceffyl hela cryf*
pwll glo mawr *cawl cennin blasus* *siop flodau liwgar*

Gall y fannod a'r rhagenwau blaen ddigwydd ar ddechrau'r cyfluniad:

y garreg fedd *ei chawl cennin* *fy nannedd dodi*
ein cae chwarae *dy ardd lysiau* *ei wialen bysgota*

Weithiau, yn enwedig ar lafar, fe rennir yr elfennau gan yr ansoddeiriau *mawr* a *bach*: *wal fawr gerrig, tŷ bach to gwellt*. Ffurf wan, sef ffurf ddibwyslais, yr ansoddair *bach* a ddefnyddir dan yr amodau hyn.

Ar lafar clywir, yn gyffredin, gymysgu rhwng y genidol ansoddeiriol a'r genidol meddiannol pendant :

y dyn glo *dyn y glo*
y dyn papur *dyn y papur*

42 *Y goleddfwyr*

Y mae **goleddfydd** yn meddu ar gyfluniad gair (gw. 31) ac yn digwydd naill ai **o flaen y pen** yng nghyfluniad yr ymadrodd enwol, neu **ar ôl y pen** yng nghyfluniad yr ymadrodd enwol, neu **o flaen ac ar ôl y pen** yng nghyfluniad yr ymadrodd enwol. Er enghraifft:

***y** dyn*
***hen** ddyn*
*dyn **tal***
*merch **ddeniadol***
y** dyn **hwn
y** ferch **hon

Gellid manylu ymhellach trwy rifo'r gwahanol fathau o oleddfwyr a ddosbarthwyd uchod:

❒ **g**(oleddfydd) **1** sef goleddfwyr sy'n digwydd (fel arfer) o flaen y **p**(en):

g1	**p**
fy	*nghath*
pob	*dyn*
y	*ferch*
yr	*ardd*
rhyw	*bapur*
rhai	*gwragedd*
wyth	*car*
hen	*eglwys*
dy	*lyfrau*

g1	**g1**	**p**
fy	*hen*	*feic*
yr	*ugeinfed*	*afal*
yr	*holl*	*dŷ*
yr	*holl*	*dai*

Y mae'r fannod, ansoddeiriau (gw. 49), rhagenwau (gw. 47, 48), rhifolion, a threfnolion wedi eu cynnwys o fewn yr is-ddosbarth hwn:

> Sylwer ar rai cyfyngiadau amlwg ar y defnydd o'r goleddfwyr uchod. Ni all *y, fy, pob* gyd-ddigwydd yn yr un ymadrodd enwol. Gall *pob* oleddfu enwau unigol yn unig: *pob ceffyl, pob pentref.* Gall *rhai* oleddfu enwau lluosog yn unig: *rhai ceffylau, rhai pentrefi.* Gall *holl* oleddfu enwau unigol ac enwau lluosog: *yr holl wlad, yr holl wledydd.*

❒ **g**(oleddfydd) **2** sef goleddfwyr sy'n digwydd (fel arfer) ar ôl y **p**(en):

p	**g2**
cerddediad	*urddasol*
llyfr	*hardd*
buwch	*goch*
cath	*wen*
ysgrifen	*anniben*
papur	*melyn*
ceginau	*tywyll*
amser	*maith*

p	**g2**	**g2**
gwallt	*du*	*sgleiniog*
bysedd	*hir*	*esgyrnog*

Ansoddeiriau (gw. 49) yw cynnwys is-ddosbarth g2 ac yn ddamcaniaethol gellid dewis yn ddiderfyn o blith goleddfwyr g2 ar gyfer yr ymadrodd enwol:

dyn cas, diegwyddor, chwyslyd, unig, moel...
tafarn gynnes, groesawus, liwgar
cath fawr, ddu, ffyrnig, gymysgryw

Mae ychydig o ryddid gan rai goleddfwyr mewn un is-ddosbarth i symud i is-ddosbarth arall. Ni bydd *gwahanol, hir, iawn, sychedig* yn newid eu hystyr sylfaenol wrth symud, er eu bod, hwyrach, yn magu pwyslais pan fyddant yn rhagflaenu'r enw:

pethau gwahanol	*gwahanol bethau*
amser hir	*hir amser*
y peth iawn	*yr iawn beth*
y rhai sychedig	*y sychedig rai*

Bydd yr ystyr yn amrywio, sut bynnag, yn ôl safle ansoddeiriau eraill. Ystyr *unig* o flaen yr enw yw 'heb un arall', ond yn dilyn yr enw dynoda 'heb gwmnïaeth':

unig wraig	*gwraig unig*
unig dŷ	*tŷ unig*

O flaen yr enw bydd *gwir* yn dynodi 'heb ffug' ond yn dilyn yr enw ei ystyr yw 'ffeithiol gywir':

gwir barch	*stori wir*

O flaen yr enw mae *cam* yn dynodi 'anghywir', ond yn dilyn yr enw ei ystyr yw 'ar dro, anunionsyth':

cam farn	*coes gam*

Yn dilyn yr enw gall *hen* gyfleu'r ystyr 'hen iawn, hynafol':

eglwys hen	*geirfa hen y beirdd*

> O flaen yr enw gall *hen* ddynodi anwyldeb neu ddiflastod yn aml:
>
> *Heno, heno hen blant bach*
> *hen gythraul*

O flaen yr enw gall *mân* ddynodi 'dibwys', ond yn dilyn yr enw yr ystyr yw 'bychan':

mân frychau	*plant mân*

O flaen yr enw gall *prin* ddynodi 'nid llawn', ond yn dilyn yr enw yr ystyr yw 'anniferus':

prin ddwsin	*llyfrau prin*

Mae rhyw gymaint o gyfyngu ar drefn yr ansoddeiriau sy'n dilyn y pen.

(i) Goleddfwyr sy'n dynodi maint sy'n digwydd nesaf at y pen:

car mawr du
bachgen bach pert

(ii) Mae'r ansoddeiriau a ganlyn yn cau cyfluniad g2:

a. y trefnol *cyntaf*:
y sedd esmwyth gyntaf
b. *arall / eraill*
y llyfr mawr gwyrdd arall
y merched bach pert eraill
c. ansoddeiriau sy'n ffurfdroi ar gyfer cymharu (gw. 50):
y wraig fach orau
y myfyriwr gweithgar aeddfetaf

Nid oes trefn arbennig gan yr ansoddeiriau eraill.

❒ **g**(oleddfydd) **3** sef goleddfwyr didoledig sy'n digwydd o flaen ac ar ôl y **p**(en), hynny yw, rhaid i ddwy elfen **g 3** ymrannu. Dynoda – oleddfydd didoledig:

g3-	**p**	**-g3**
y	*ceffyl*	*hwn*
y	*crwt*	*hwnnw*
y	*fedwen*	*hon*
y	*gegin*	*honno*
y	*colegau*	*hyn*
y	*blodau*	*hynny*
y	*tŷ*	*yma*
y	*cae*	*acw*
yr	*anghenfil*	*yna*

g1	**g1**	**g3-**	**p**	**g2**	**-g3**
		y	*ceffyl*		*hwn*
yr	*hen*		*geffyl*	*du*	
y	*ddau hen*		*geffyl*	*du*	

Ni all goleddfydd arall ddilyn g3, hynny yw y mae g3 yn agor a chau olyniad y goleddfwyr:

g3-	**g1**	**g1**	**p**	**g2**	**-g3**
yr	*hen*		*ddyn*		*hwn*
y	*ddwy*	*hen*	*wraig*	*hyll*	*acw*
	y	*ddau*	*lo*	*bach*	
y		*ddau*	*lo*	*du*	*yma*

❐ **g**(oleddfydd) **4** sef goleddfwyr sy'n digwydd ar ôl y pen ond sy'n rhagdybio aelod o is-ddosbarth g1 yn yr ymadrodd enwol ac sy'n cytuno â hwnnw o ran rhif a pherson (ac yn y 3ydd person unigol o ran cenedl yn ogystal):

g1	**p**	**g4**
fy	nghar	i

g1	**p**	**g4**
ei	char	hithau

g1	**p**	**g4**
eu	ceir	hwy

Rhagor o fanylrwydd

Gellir manylu ymhellach ar y dosbarthiad uchod ar y goleddfwyr. Gan na all *yr, fy, pob*, er enghraifft, gyd-ddigwydd yn yr un ymadrodd enwol gellid eu clustnodi:

g1
g11 *y*
g12 *fy, dy, ei* (gwr.), *ei* (ben.), *ein, eich, eu*
g13 *pob, ambell, llawer, sawl, rhyw, rhai*

Ac i haniaethu ychydig rhagor:

g14 y rhifolion
g15 y trefnolion

> Perthyn *cyntaf* i is-ddosbarth g2:
> *y ras gyntaf*

g16 *hen, unig, prif, holl, ychydig,*
Gellir dewis fwy nag unwaith o blith yr ansoddeiriau yn g16:

> *yr* ***holl hen*** *bethau mân*
> *yr* ***unig hen*** *longau*
> *yr* ***unig brif*** *anhawster y soniwyd amdano*

Bellach gallwn ddechrau disgrifio perthynas goleddfwyr **g1** â'r pen ar lun fformiwla hwylus:

(g11/g12/g13) (g14) (g15) (g16 ...^{n}) p

Dynoda'r cromfachau elfen ddewisol yng nghyfluniad yr ymadrodd enwol na ellir dewis fwy nag unwaith o blith yr elfennau o'u mewn a'r llinellau / mai unwaith y gellir dewis o blith yr elfennau rhyngddynt. Dynoda **^{n}** uwchysgrifol y gellir rhagor nag un dewis o blith y goleddfwyr o fewn yr is-ddosbarth.

Os digwydd *holl*, sef aelod o is-ddosbarth g16 yn yr ymadrodd enwol, rhagdybir hefyd naill ai un o eitemau g11 neu g12:

> *yr holl ffwdan*
> *fy holl galon*

Rhaid i *holl* ddigwydd o flaen unrhyw ddewis arall a wneir o ddosbarth g16:

> *yr holl hen geir duon*

Gallwn grynhoi system g2:

g2
- **g21** goleddfwyr yn dynodi maint
- **g22** goleddfwyr nad ydynt yn perthyn i g21 nac i g23 (sef y rhan fwyaf o ansoddeiriau'r iaith)
- **g23** y goleddfwyr sy'n cau cyfluniad g2
  - g231 *cyntaf*
  - g232 ansoddeiriau sy'n ffurfdroi ar gyfer cymharu
  - g233 *arall / eraill*

Bellach gallwn ddewis disgrifio perthynas goleddfwyr g2 hwythau â'r pen ar lun fformiwla:

p (g21) (g22 ....^{n}) (g23 ...^{n})

Dynoda'r cromfachau elfen ddewisol yng nghyfluniad yr ymadrodd enwol; dynoda'r **n** uwchysgrifol y gellir rhagor nag un dewis o blith y goleddfwyr o fewn yr is-ddosbarth.

Anaml y gwelir rhagor nag un dewis o blith g23:

y ddwy wobr ***gyntaf arall*** *yn eisteddfod y pentref*

Mae cyfuniad megis *dyn du* yn gallu ymddwyn fel petai'n eitem eiregol, hynny yw yn un gair a rhaid felly ddadansoddi *dyn du mawr* ar y manylrwydd cyntaf:

p	**g**
dyn du	*mawr*

Goleddfwyr g3 ac g4 sy'n cau'r gyfres o oleddfwyr yn yr ymadrodd enwol:

g3-	**p**	**-g3**
y	frechdan	hon

g3-	**g1**	**p**	**g2**	**-g3**
yr	holl	datws	gwael	hyn

Ni all g3 ac g4 gyd-ddigwydd yn yr un ymadrodd enwol.

Ni all goleddfwyr **g4**, sef y goleddfwyr ôl dibynnol syml a chysylltiol (gw. **47**, **48**), weithredu yn yr ymadrodd enwol heb bresenoldeb y rhagenwau blaen o is-ddosbarth g1:

g41 y rhagenwau ôl dibynnol syml
g42 y rhagenwau ôl dibynnol cysylltiol

g1	**p**
fy	mhlant

g1	**p**	**g41**
fy	mhlant	i

g1	p	g42
ein	plant	ninnau

Gall y rhagenwau o is-ddosbarth g1 ddewis estyniad o ragenw atblygol (gw. 48(vi)) sef g43 a'r estyniad hwnnw a fydd yn cau'r olyniad:

g1	p	g41	g43	
fy	mhlant	i	fy	hun

Bellach gallwn ddatblygu ychydig ar y fformiwla:

(g11/g12/g13) (g14) (g15) (g16 ...^{n}) p (g21) (g22 ...^{n}) (g23 ...^{n}) (g3/g4)

Dynoda'r cromfachau elfen ddewisol yng nghyfluniad yr ymadrodd enwol na ellir dewis fwy nag unwaith o blith yr elfennau o'u mewn a'r llinellau / mai unwaith y gellir dewis o blith yr elfennau rhyngddynt. Dynoda **^{n}** uwchysgrifol y gellir rhagor nag un dewis o blith y goleddfwyr o fewn yr is-ddosbarth.

43 *Yr isoleddfwyr*

Swyddogaeth **isoleddfydd** yw goleddfu goleddfydd. Yn union fel y mae'r goleddfwyr yn ddibynnol ar y pen, felly y mae'r isoleddfwyr hwythau yn ddibynnol ar y goleddfydd. Er enghraifft yn yr olyniadau *croeso go gam* a *derbyniad lled oeraidd,* ni all y ffurfiau *go* a *lled* sefyll ar eu pennau eu hunain; y maent, yn hytrach, yn ddibynnol ar y goleddfydd sy'n eu dilyn, sef *cam* yn y naill enghraifft ac *oeraidd* yn y llall.

Dyma nodi a dosbarthu rhai o'r isoleddfwyr mwyaf cyffredin ac amlwg.

I. Isoleddfwyr sy'n rhagflaenu'r goleddfydd:

rhy, lled, gweddol, cymharol, go, pur, hollol,
cwbl, eithaf, digon, gwir, mor, mwy

Ceir treiglad meddal (gw. Atodiad 1) yn dilyn y rhan fwyaf o'r isoleddfwyr hyn, ond ni threiglir *ll-, rh-* yn dilyn *mor;* mae tuedd, yn enwedig ar lafar, i *ll-* wrthsefyll treiglo yn dilyn *go, rhy, lled, pur*. Ni threiglir yn dilyn *mwy, digon.*
Er enghraifft,

cais ***mwy*** *llwyddiannus*
enwau ***rhy*** *debyg*
tŷ ***lled*** *fawr*
croeso ***gweddol*** *oeraidd*
nwyddau ***cymharol*** *brin*
tywydd ***go*** *anwadal*
annwyd ***pur*** *drwm*
pethau ***gwir*** *dreiddgar*
dyn ***hollol*** *anllythrennog*
pryd ***digon*** *blasus*
merch ***mor*** *ddeniadol*
swydd ***fwy*** *enillfawr*

II. Isoleddfwyr sy'n dilyn y goleddfydd:

iawn, dychrynllyd, ofnadwy, sbon, fflam, anghyffredin, eithriadol, dros ben.

Er enghraifft,

pregeth rymus ***eithriadol***
gêm wael ***iawn***
diwrnod poeth ***ofnadwy***
gwraig dda ***dros ben***
dillad newydd ***sbon***

Gall *sbon* ddigwydd gyda *newydd* yn unig.

Gellir ailadrodd *iawn* er mwyn pwyslais:

cofion tyner iawn iawn iawn

Mae ychydig o oleddfwyr g2 (gw. 42) yn gallu gwasanaethu fel isoleddfwyr: *peth drwg* ***melltigedig****, tric brwnt* ***cythreulig****, crwt twp* ***uffernol,*** *llyfr da* ***diawledig****.*

III. Isoleddfwyr o gyfluniad ymadrodd:

(i) Yr isoleddfydd yn digwydd o flaen y goleddfydd a oleddfir ganddynt.

Er enghraifft,

sobor o *feddw*
ofnadwy o *wyllt*
arbennig o *dda*
hynod o *lân*
syndod o *graff*
eithriadol o *aflêr*
rhyfedd o *ddiddorol*
hynod o *dalentog*
od o *dda*
neilltuol o *ddawnus*

(ii) Yr isoleddfydd yn digwydd ar ôl yr isoleddfydd *rhy*.
Er enghraifft,

gwaith rhy drwm ***o lawer***
car rhy ddrud ***o dipyn***
gŵr rhy fawreddog ***o'r hanner***

44 *Y cyfyngwyr*

Yn ogystal â'r gwahanol fathau o oleddfwyr, digwydd elfen anorfodol arall yng nghyfluniad yr ymadrodd enwol sef y **cyfyngydd**. Dyma'r elfen sy'n dilyn y goleddfwyr yng nghyfluniad yr ymadrodd enwol, ond yn wahanol i'r goleddfwyr nid cyfluniad geiriau sydd i'r cyfyngydd ond, yn hytrach, gyfluniad ymadrodd neu gymal. Er enghraifft,

y ferch hardd ***a welsom ni***	cyfyngydd o gymal perthynol
y tŷ ***y bu'n ei baentio***	cyfyngydd o gymal perthynol
y dyn ***yn y lleuad***	cyfyngydd o ymadrodd arddodiadol
y briwsion ***ar y carped***	cyfyngydd o ymadrodd arddodiadol

Digwydd y cyfyngydd bob amser ar ôl y p(en) gan ddilyn unrhyw oleddfydd sy'n dilyn y pen. Gellir dosbarthu'r cyfyngwyr yn fanylach fel hyn:

❒ **c**(yfyngydd) **1** yr ymadrodd arddodiadol:

y	*ferch*	***ar y cei***		
g	**p**	**c**		
yr	*hen*	*ddyn*	*diog*	***dan y car***
g	**g**	**p**	**g**	**c**
y	*llygoden*	***yn yr ŷd***		
g	***p***	***c***		
y	*dynion*	*tal*	***ar y llwyfan***	
g	***p***	***g***	***c***	

❒ **c**(yfyngydd) **2** y cymalau perthynol (gw. 45):

y	*ferch*	***a oedd yn aros***
g	**p**	**c**
y	*cwch*	***sy'n hwylio***
g	**p**	**c**

y *ffilm* ***a welais***
g **p** **c**

y dyn **y prynais ei filgi**
g **p** **c**

y *cae* ***y mae'n chwarae arno***
g **p** **c**

yr oeddent yn trafod *y* *gwaith* ***y gellid ei gwblhau***
g **p** **c**

rwyf yn disgwyl yn eiddgar *y* *foment* ***y gwelaf ef***
g **p** **c**

❒ Math arbennig o Ymadrodd Enwol (gw. 31) yw hwnnw lle y ceir enw mewn perthynas feddiannol neu enidol (gw. 41) â'r elfen a gyfyngir ganddo. Er enghraifft,

pen *dyn*
p **c**

Gellid clustnodi'r cyfyngydd yn **c3** a dynodi'r isddosbarthau,

c31 y genidol meddiannol *pen* *dyn*
p **c**

c32 y genidol cyfrannol *pryd* *o fwyd*
p **c**

c33 y genidol cyfartal *plentyn* *o Gymro*
p **c**

c34 y genidol disgrifiadol *llawr* *cerrig*
p **c**

Nodwyd rhai o'r cyfyngiadau amlycaf ar gystrawen c3 eisoes (gw. 41).

❒ Cyfyngydd berfol
Sylweddolir y cyfyngydd naill ai gan gyfluniad y ferf gyfansawdd **c41**, neu gan gyfluniad y ferf oddefol **c42**:

c41		**c42**	
dillad	*wedi crino*	*wy*	*wedi ei ferwi*
llaeth	*wedi suro*	*iâr*	*wedi ei rhostio*
blodau	*wedi gwywo*	*parsel*	*wedi ei lapio*
gwallt	*wedi britho*	*torth*	*wedi ei phobi*
dŵr	*wedi berwi*	*cig moch*	*wedi ei ferwi*
p	**c**	**p**	**c**

Gellir negyddu cyfyngwyr **c4** gan yr arddodiad *heb*:

dail heb grino *parsel heb ei lapio*

45 *Cymalau perthynol*

Mae'r cyfyngwyr (gw. 44) yn perthyn i ddosbarth o elfennau dewisol yng nghyfluniad yr ymadrodd enwol (gw. 31). Cymal perthynol y gelwir cyfyngydd a gyflwynir naill ai gan ragenw perthynol, sef *a* neu gan eiryn perthynol, sef *y, yr*. Swyddogaeth cymal perthynol yw disgrifio enw neu ragenw yn y prif gymal.

Cymal perthynol a gyflwynir gan *a*

Gall y rhagenw perthynol *a* weithredu naill ai fel goddrych neu fel dibeniad mewn cymal perthynol. Dilynir y rhagenw yn ddigyfrwng gan y ferf ac eithrio pan glymir rhagenw mewnol wrtho. Pair *a* dreiglad meddal (gw. Atodiad 1) yng nghytsain flaen y ferf. Mewn brawddeg gadarnhaol bydd y ferf bob amser yn y 3ydd person unigol.

I Goddrych

Fe welwch gapel bach ***a*** *saif yn ymyl dibyn.*
Cododd y plât ***a*** *oedd wedi disgyn.*
Ciliais rhag y ferch ***a'*** *m llygadai yng ngwyll y disgo.*
Holaf y person nesaf ***a*** *ddaw heibio.*

II Dibeniad

Beth yw'r pethau olaf ***a*** *gofiaf cyn dod yma?*
Gwerthais y cyfan ***a*** *feddaf er mwyn ei brynu.*
Deallaf yr her ***a*** *wyneba Henry yng Nghymru.*

Yn aml diflanna'r rhagenw perthynol yn enwedig o flaen *oedd:*

Tynnodd y sach oedd am ei ysgwyddau.

Erys y treiglad:

Dyma'r dyn all egluro'r cyfan.

Negyddu

Rhagflaenir y ferf yn y cymal perthynol gan *na, nad*. Digwydd *na* o flaen cytsain ac o flaen llafariad sy'n cyfateb i *g*- a gollwyd yn sgil y treiglad meddal; *nad* a geir o flaen llafariad. Dilynir *na* gan dreiglad llaes o *c, p, t*, a threiglad meddal o *g, b, d, m, ll, rh*:

Dyma'r ferch ***na*** *fydd yn cystadlu.*
Dacw'r aderyn ***na*** *all hedfan.*
Dyna'r ferch ***nad*** *oedd wedi cystadlu.*

Gellir atodi rhagenw mewnol (gw. 48) at **na**:

Yr hyn nas dywedir.

Digwydd *nis, ni* mewn testunau ffurfiol gan amlaf:

Y pethau ni welir.
Y pethau nis gwyddant.

Mewn testunau anffurfiol ac ar lafar gall *ddim* ddilyn y ferf a dynodi'r negydd:

Dyma'r plentyn oedd ddim yn canu.

Mewn cymal perthynol negyddol bydd y ferf sy'n dilyn y cymal perthynol yn cytuno mewn rhif â'i ragflaenydd:

Byddwch yn addoli ***duwiau*** *nad* ***ydynt*** *yn gweld nac yn clywed.*
Byddwch yn addoli ***duw*** *nad* ***yw'n*** *gweld nac yn clywed.*
Mae rhai miloedd o ***Sosialwyr*** *na* ***pherthynant*** *i'r Blaid Lafur.*

Sydd, sy

Mae ffurf berthynol gan 3ydd unigol presennol mynegol *bod,* sef *sy(dd)*. Gall ei ragflaenydd fod naill ai'n unigol neu'n lluosog:

Hawdd yw twyllo ***dyn sydd*** *wedi ymgladdu yn ei waith.*
Mae'r ***ferch sy'n*** *priodi wedi prynu tŷ ym Mhencader.*
Mae'r ***bechgyn sy'n*** *ymarfer yn gyson yn nhîm cyntaf y coleg.*

Ni ddigwydd y rhagenw perthynol o flaen *sydd.*

Negyddu

Disodlir *sydd* gan *nad yw (ydyw)/ydynt* a'r ferf yn cytuno â'r rhagflaenydd o ran rhif:

> *Dyma* ***gylchgrawn nad yw'****n hawdd ei gael bellach.*
> *Mae'r* ***coed nad ydynt*** *byth yn bwrw eu dail yn cau allan llawer o'r golau.*

> Mewn testunau anffurfiol ac ar lafar gellir dynodi'r negydd gan *sy(dd) ddim*:
>
> *Mae yna ryw bethau sydd ddim fel y dylen nhw fod.*
> *Nid oes yr un dyn sy ddim yn gwneud camgymeriadau.*
>
> Ar lafar clywir dynodi'r negyddol gan *nad sydd, na sydd.*

Piau

Y mae *piau* hefyd yn ffurf berthynol ac ni ddigwydd y rhagenw perthynol o'i blaen ac eithrio pan fo'n wrthrych rhagenw mewnol:

> *Hon piau'r wobr gyntaf.*
> *Safodd yn fy ymyl angel y Duw a'm piau.*

Yn gyffredin treiglir cytsain ddechreuol *piau* i'r feddal (gw. Atodiad 1):

> *Ni biau Eryri.*

Digwydd 3ydd person unigol *bod* (ac eithrio'r amser presennol) gyda *piau* er mwyn cyfleu categori amser, a'i drin fel petai'n ferfenw:

> *Ni oedd biau'r byd.*
> *Chi fydd piau'r dyfodol.*
> *Chi fyddai piau'r dyfodol.*
> *Chi fuasai piau'r dyfodol.*

> Ar lafar ac mewn ysgrifennu anffurfiol digwydd *sy piau/sy biau*: *Ni sy pia' hwn, Ni sy bia' hwn.*

Negyddu

Negyddir trwy roi *nid* ar y dechrau'n deg:

> *Nid chi fydd piau'r dyfodol.*
> *Nid ni oedd piau'r car.*
> *Nid ni biau Eryri.*

Cymalau perthynol a gyflwynir gan *y*

Pan fydd y cymal perthynol dan reolaeth rhagenw blaen neu fewnol neu arddodiad neu'n adferfol cyflwynir y cymal perthynol yn arferol gan *y*, *yr*; digwydd *y* o flaen cytsain, *yr* o flaen llafariad ac *h*.

> Mewn ysgrifennu anffurfiol ac ar lafar diflanna'r geiryn perthynol yn aml.

I. Dan reolaeth rhagenw blaen neu fewnol

Mae cyfluniad didoledig i'r cymal perthynol sef,

y(r) [Berf]	*ei/'i/'w*	gwrywaidd	[Enw/Berfenw]
	ei/'i/'w	benywaidd	
	eu/'i/'w	lluosog	

Er enghraifft,

> *y dyn* ***y*** *chwythodd* ***ei*** *het i ffwrdd*
> *y llofrudd* ***yr*** *euthum i'****w*** *holi*
> *y ferch* ***y*** *chwythodd* ***ei*** *baner i ffwrdd*
> *y ffermwyr* ***y*** *gwelsoch* ***eu*** *caeau*
> *y buchod* ***yr*** *aethoch i'****w*** *godro*

> Digwydd enghreifftiau o'r cymal perthynol yn cael ei gyflwyno gan *a* yn ogystal yn enwedig pan fo'r perthynol yn ddibynnol ar ferfenw:
>
> *Mae'n amheus gen i a ydy athrawon yn sylweddoli'r cam* ***a*** *allant ei wneud.*
>
> Ond pan fo'r ferf *bod* yn y cymal perthynol, *y(r)* yn unig a all ddigwydd:
>
> *Dy fraint di yw prynu'r pethau y mae arna i eu hangen.*

Negyddu

Fel arfer yn yr iaith ysgrifenedig, fe ragflaenir y ferf yn y cymal perthynol gan *na, nad*: digwydd *na* o flaen cytsain ac o flaen llafariad sy'n cyfateb i *g-* a gollwyd yn sgil y treiglad meddal; *nad* a geir o flaen llafariad. Dilynir *na* gan dreiglad llaes o *c, p, t* a threiglad meddal o *g, b, d, m, ll, rh* (gw. Atodiad1). Er enghraifft,

plentyn bach na wyddai neb ei enw
plant bach na wyddai neb eu henwau
blodau na chlywodd neb eu henwau

Digwydd enghreifftiau o *ni(d)* mewn ysgrifennu ffurfiol:

y pethau nid ydys yn eu gweld.

Mewn ysgrifennu anffurfiol ac ar lafar gall *ddim* ddilyn y ferf a dynodi'r negydd:

y merched buodd e ddim yn eu gweld nhw.

II. Dan reolaeth arddodiad

Mae cyfluniad didoledig i'r cymal sef,

y(r) [Berf] (a) ffurf bersonol yr arddodiad (gw. 65)
(b) rhagenw personol annibynnol (gw. 48)
(c) rhagenw blaen neu fewnol dibynnol (gw. 48)

Bydd (a), (b), (c) yn cytuno o ran person a rhif â'r enw y mae'r cymal yn gyfyngydd iddo. Er enghraifft:

(a) *y* ***gwely*** *y gorweddais* ***arno***
y ***ceir*** *yr eisteddodd* ***ynddynt***
y ***genedl*** *y mae'r Arglwydd yn Dduw* ***iddi***

(b) *y* ***plant*** *y teithiais gyda* ***nhw***
y ***siswrn*** *y torrodd ei ewinedd ag* ***ef***

(c) *y* ***dyn*** *y sefais yn* ***ei*** *ymyl*
y ***merched*** *y dygwyd achos yn* ***eu*** *herbyn*

Negyddu

Rhagflaenir y ferf yn y cymal perthynol gan *na, nad*: digwydd *na* o flaen cytsain ac o flaen llafariad sy'n cyfateb i *g-* a gollwyd yn sgil y treiglad meddal; *nad* a geir o flaen llafariad. Dilynir *na* gan dreiglad llaes o *c, p, t* a threiglad meddal o *g, b, d, m, ll, rh*. Er enghraifft:

> *y siopau nad âi Harri byth i mewn iddynt*
> *awdur na ŵyr y darllenydd ddim amdano*
> *tafarn na chawsai fynd iddi*

Digwydd enghreifftiau o *nid* mewn ysgrifennu ffurfiol:

> *yr hwn nid oes iachawdwriaeth ynddo.*

Mewn ysgrifennu anffurfiol ac ar lafar gall *ddim* ddigwydd ar ôl y ferf i ddynodi'r negydd:

> *y ferch oedd e ddim wedi sôn amdani.*

III. Adferfol

Pan yw'r perthynol yn adferfol bydd yn dilyn enw'n dynodi amser, lle, achos neu ddull. Er enghraifft,

> *y dydd y cymerwyd ef i'r ysbyty*
> *y munud neu ddau y bu'n gorwedd yno*
> *y man y deuthum i'ch adnabod*

Negyddu

Rhagflaenir y ferf yn y cymal perthynol gan *na, nad*: digwydd *na* o flaen cytsain a llafariad sy'n cyfateb i'r *g-* a gollwyd yn sgil y treiglad meddal; *nad* a geir o flaen llafariad. Dilynir *na* gan dreiglad llaes o *c, p, t* a threiglad meddal o *g, b, d, m, ll, rh*. Er enghraifft,

> *Dyna le na chlywais erioed amdano.*
> *Dyna'r man na welais erioed mo'i debyg.*
> *Y glaw yw'r rheswm nad aethom ni.*

Mewn ysgrifennu anffurfiol ac ar lafar gall *ddim* ddigwydd ar ôl y ferf a dynodi'r negydd: *Dyna'r dydd aeth e ddim.*

Rhagor o fanylrwydd

Yn y dull o ddosbarthu'r cyfyngwyr a fabwysiadwyd gennym (gw. 44) dynodwyd y cymalau perthynol yn **c2**. I ddosbarthu'n fanylach gellid mabwysiadu'r drefn isod:

c2	cyfyngwyr o gymal perthynol
c21	cymalau *-a* (cymalau perthynol rhywiog)
c211	ag *-a* goddrychol
c212	ag *-a* dibeniad
c22	cymalau *yr/y* (cymalau perthynol afrywiog)
c221	dan reolaeth rhagenw blaen neu fewnol
c222	dan reolaeth arddodiad
c223	y perthynol yn adferfol

46 *Cyfosod*

Mae'n gyffredin gweld dau neu ragor o ymadroddion enwol yn cyd-ddigwydd ac yn ffurfio un elfen yng nghyfluniad y cymal (gw. 16, 17).

❐ Gellir cysylltu'r elfennau â chysylltair megis *a, neu, ond, namyn, na(c)* (gw. 74). Nid yr un ystyr gyfeiriadol, sut bynnag, sydd i'r gwahanol ymadroddion enwol o fewn y cyfluniad:

> *Gwelais* ***geffyl a chart.***
> *Nid oedd* ***gwynt na therfysg na haint na phla.***
> *Rhaid oedd prynu* ***car neu feic.***
> *Prynodd* ***fuwch a llo.***

❐ Gellir **cyfosod** yr elfennau. Cyfeiria'r ymadroddion enwol o fewn y cyfluniad at yr un peth – boed ffaith neu ddigwyddiad neu berson etc:

> ***Nans, ei chwaer yng nghyfraith,*** *oedd yno.*
> *Eisteddai* ***Lewis Thomas, gŵr Lisi Jane,*** *o flaen y tân.*
> *Cofiais fod* ***ei Hewythr Wiliam, ei hoff ewythr,*** *wedi marw o'r clefyd.*
> *Edrych**ent ill dau*** *tua'r llawr.*
> *Troswr gwael oedd* ***y cefnwr druan.***
> *Dioddefodd* ***Crist yntau.***
> *Daeth* ***Arfon, capten y tîm, bachgen o Ddeiniolen o bob man,*** *i mewn yn chwys i gyd.*
> *Ar garreg fedd mae hir a thoddaid gan* ***'Brynfab', Thomas Williams, ffarmwr,*** *a aned yng Nghwm Aman.*

Gellir egluro'r gwahaniaeth rhwng y ddwy gyfres o frawddegau uchod ymhellach trwy graffu ar y ddwy frawddeg isod:

> *Daeth Gwilym Jones a'r gweinidog i ymweld â ni.*
> (Daeth dau berson gwahanol: cysylltair yn uno'r elfennau)

> *Daeth Gwilym Jones, y gweinidog, i ymweld â ni.*
> (Daeth un person: cyfosod)

Nodau a all arwyddo cyfosod

Y mae nifer o nodau cyffredin a ddefnyddir er arwyddo cyfosod a gosodir y rhain rhwng yr elfennau a gyfosodir. Er enghraifft,

Dau goma ,   ,

Daeth Carlo, ci ein cymdogion, i fygwth y lleidr.

sef

Awgrymodd rhywun y dylent chwarae cardiau, sef Gottes Segen bei Cohn.

Pâr o linellau – –

Roedd y bobl niwtral – y bobl a safai yn y canol – yn dod allan ohoni yn iach eu crwyn.

Llinell -

Yn uwch nag ef roedd y partneriaid – dynion â chymwysterau ganddynt.

Colon :

Dechreuodd ganu cân ysgafn fodern: Nach Afrik nach Kamerun, nach Angra Pequena.

Hanner colon ;

Byddai'n rhoi ei waith am y dydd o'i flaen; pentwr o gofnodion, drafft o gyfrifon, taflenni stoc.

Cromfachau ( )

Mae'r ddau fardd arall (Peter Griffith a Mike Jones) wedi rhoi'r gorau i ysgrifennu.

Mae amryw enwau priod (gw. 32) yn enghreifftio cyfosod: *Dafydd Frenin, Ieuan Fardd, Duw Dad, Lisa druan*. Yn yr enghreifftiau hyn y mae'r ail elfen yn dibynnu ac yn cyfyngu ar ystyr y cyntaf.

47 *Rhagenwau*

Mae rhagenw yn ffurf a all sefyll yn lle enw (gw. 32), ymadrodd enwol (gw. 31) neu gyfres o ymadroddion enwol, neu gall gyfeirio at ryw agwedd neu'i gilydd o'r sefyllfa a ddisgrifir gan yr ymadrodd enwol y bydd yn ei gynrychioli; gall, yn ogystal, ddigwydd fel goleddfydd (gw. 42). Y mae gwahanol fathau o ragenwau a cheir, yn ogystal, beth amrywio yn yr enwau a ddefnyddir i'w dynodi mewn gwahanol ramadegau Cymraeg.

Rhai o nodweddion rhagenw

❒ Gall rhai rhagenwau weithredu fel **p**(en) mewn ymadrodd enwol (gw. 31):

> ***Myfi*** *sy'n magu'r baban.*
> *Tywysodd* ***fi****'n gyflym o gwmpas yr eglwys.*
> ***Ti*** *ydy ffefryn dy dad.*
> ***Ef*** *yw'r pennaeth.*

❒ Yn wahanol i enw yn anaml iawn y goleddfir rhagenw ond y mae'r ymadrodd isod lle y goleddfir y rhagenw yn gyffredin iawn:

> *gormod o fi fawr*

Ar lafar clywir olyniadau megis *yfe twp, tithe dwl, fi call* lle y mae'r siaradwr yn awyddus i gyfleu gwawd naill ai tuag ato ef ei hun neu tuag at arall.

❒ Mae rhai rhagenwau'n gwahaniaethu o ran rhif, sef unigol a lluosog a chenedl sef gwrywaidd a benywaidd:

> *fi a nhw*
> *ef a hi*
> *ti a chi*

❑ Mae rhai rhagenwau yn digwydd fel goleddfwyr (gw. 42) yng nghyfluniad yr ymadrodd enwol:

fy esgidiau
dy lyfr
ei char

48 *Mathau o ragenwau*

(i) Rhagenwau personol

Mae'r rhagenwau personol yn cyfeirio at rywun neu at rywrai neu at rywbeth sy'n ymwneud yn benodol â'r cyfathrebu sy'n digwydd neu'r gweithgarwch a ddisgrifir; gall y rhagenw personol fod naill ai'n **Annibynnol** neu'n **Ddibynnol**. Yn wahanol i'r rhagenwau dibynnol nid yw'r rhagenwau annibynnol yn ddibynnol ar ffurf arall: gweithredant yn oddrych neu'n ddibeniad mewn cymal. Dosberthir y rhagenwau annibynnol yn rhagenwau syml ac yn rhagenwau dwbl ac yn rhagenwau cysylltiol.

Rhagenwau annibynnol syml

Unigol	Lluosog
1. *mi, fi*	1. *ni*
2. *ti, di*	2. *chwi, chi*
3. *ef, fe, fo* (gwr.)	3. *hwy, hwynt, nhw*
hi (ben.)	

> Mae'r ffurfiau llafar *fe* (de), *fo* (gogledd), *chi, nhw* yn digwydd yn gyffredin iawn yn yr iaith ysgrifenedig ac eithrio mewn cywair tra ffurfiol.

Rhagenwau annibynnol dwbl

Unigol	Lluosog
1. *myfi*	1. *nyni*
2. *tydi*	2. *chwychwi*
3. *efe, efô, fe, fo* (gwr.)	3. *hwynt-hwy*
hyhi (ben.)	

Mae'n arferol acennu'r rhagenwau annibynnol dwbl ar y sillaf olaf; fe'u defnyddir er mwyn dynodi pwyslais. Ac eithrio mewn ysgrifennu ffurfiol sylweddolir y rhagenwau dwbl annibynnol gan:

Unigol	Lluosog
1. *y fi*	1. *y ni*
2. *y ti*	2. *y chi*
3. *y fe, y fo* (gwr.)	3. *y nhw*
y hi (ben.)	

Rhagenwau annibynnol cysylltiol

Rhaid i'r rhagenwau hyn fod yn gysylltiedig â pherson neu enw neu ragenw arall; byddant, yn gyffredin, yn cyfleu pwyslais gwrthgyferbyniol megis 'finnau hefyd, o'm rhan i, ar y llaw arall' etc. Yn aml iawn bydd yr elfennau y bydd y rhagenwau cysylltiol yn gysylltiedig â nhw yn digwydd mewn brawddeg arall. Rhaid, o ganlyniad, wrth gyd-destun llawn er mwyn gallu dehongli'r olyniad yn foddhaol:

Unigol	Lluosog
1. *minnau*	1. *ninnau*
2. *tithau*	2. *chwithau, chithau*
3. *yntau* (gwr.)	3. *hwythau, nhwythau*
hithau (ben.)	

Digwydd *chithau, nhwythau* yn gyffredin yn yr iaith ysgrifenedig ac eithrio mewn cywair tra ffurfiol.

> Ar lafar sylweddolir *-au* gan *-e* (de-orllewin a gogledd-ddwyrain), *-a* (de-ddwyrain a gogledd-orllewin)

Enghreifftiau o'r rhagenwau personol annibynnol:

Cusanodd rhai ***hi.***
Nhw *sy'n rheoli.*
Hi *a fu'n swcwr iddo.*
Tynnodd ***fi'n*** *gyflym tuag at y car.*
Chwychwi*, benaethiaid y bobl.*

Ti *yw ffefryn dy ewythr.*
Cerddodd Rhisiart a ***hithau*** *drwy'r ardd.*
Yr oeddwn eisoes yn hen ŵr, a ***minnau****'n blentyn.*
Pwy oedd y cadeirydd? ***Fe.***
Y ti *yw'r drwg yn y caws.*
Y nhw *sy'n rheoli'r cyngor sir.*
Y fe *a gafodd ei gyhuddo gan yr heddlu.*

Rhagenwau personol dibynnol

Dosberthir y rhagenwau personol dibynnol yn rhagenwau blaen ac yn rhagenwau mewnol ac yn rhagenwau ôl. Byddant naill ai'n goleddfu pen yr ymadrodd enwol neu'n gweithredu fel estyniad naill ai i'r pen neu i'r goleddfydd. Mae'r rhagenwau dibynnol bob amser yn dibynnu ar ffurfiau eraill.

Y rhagenwau blaen

Dynoda'r rhagenwau blaen feddiant neu berchnogaeth.

Unigol	Lluosog
1. *fy*	1. *ein*
2. *dy*	2. *eich*
3. *ei* (gwr.)	3. *eu*
ei (ben.)	

Ar lafar gellir sylweddoli *fy*, *ein*, fel *yn* ac *eich* fel *ych* ; cynenir *ei*, *eu* fel [i].

Y rhagenwau mewnol

Defnyddir y ffurfiau hyn naill ai i ddynodi meddiant neu i ddynodi'r dibeniad uniongyrchol; yr un yw'r ffurfiau ac eithrio yn y 3 ydd person.

Dynodi meddiant		Cyfleu'r dibeniad uniongyrchol	
Unigol	Lluosog	Unigol	Lluosog
1. *'m*	1. *'n*	1. *'m*	1. *'n*
2. *'th*	2. *'ch*	2. *'th*	2. *'ch*
3. *'i, 'w*	3. *'u, 'w*	3. *'i, -s*	3. *'u, -s*

Digwydd *'w* yn unig yn dilyn yr arddodiad *i*: *i'w gar, i'w cartrefi*. Ar lafar yn y de cynrychiolir *i'w* gan *iddi*: *iddi mam = i'w mam*; *iddi mamau = i'w mamau.* Mewn cywair ffurfiol yn unig y digwydd *-s* a gellir ei glymu yn unig wrth *ni, na, oni, pe.*

Rhagenwau ôl

Mae gan y rhain ffurfiau syml a chysylltiol.

Syml

Unigol	Lluosog
1. *i, fi*	1. *ni*
2. *ti, di*	2. *chwi, chi*
3. *ef, fe, fo* (gwr.) *hi* (ben.)	3. *hwy, hwynt, nhw*

Cysylltiol

Unigol	Lluosog
1. *finnau, innau*	1. *ninnau*
2. *tithau, dithau*	2. *chwithau*
3. *yntau* (gwr.) *hithau* (ben.)	3. *hwythau, nhwythau*

Enghreifftiau o'r ragenwau personol dibynnol:

*Fe'**u** cerais fel y bydd dyn yn caru blodau.*
*Ni**s** rhestraf yma.*
*Na'**n** twyller.*
*Ni'**th** ollyngaf.*
*Dangosodd y fferm lle y'**i** ganed.*
*Dyna yw **ein** barn **ni ein** tri.*
*Roeddwn **innau** hefyd wedi blino.*
*Ni**s** gwelais **ef**.*
Aethom ***ein*** *pedwar.*
*Gollwng fi neu mi'**th** laddaf.*
*Rhoddodd y blodau i'**w** gariad.*
*Pe**s** cofiwn.*
*Mae'n llythyr na**s** derbyniwyd.*

Mae'r rhagenwau blaen fel rheol yn ddibwyslais; disgyn y pwyslais ar y gair dilynol: *fy 'nhad*. Pan ddymunir dangos pwyslais ar y rhagenw blaen yn yr iaith lenyddol, dewisir y rhagenw ôl sef goleddfydd g4 (gw. 42):

fy nhad (dibwyslais)
fy nhad i (pwysleisedig)

Yr un yw'r drefn pan fydd angen dangos pwyslais ar y rhagenw mewnol:

i'w chartref (dibwyslais)
i'w chartref hi (pwysleisedig)

Gall y rhagenwau cysylltiol yn ogystal arwyddo pwyslais:

Collaist dy gyfle dithau

(ii) Rhagenwau meddiannol

Unigol	Lluosog
1. *eiddof*	1. *eiddom*
2. *eiddot*	2. *eiddoch*
3. *eiddo* (gwr.)	3. *eiddynt*
eiddi (ben.)	

Ni ddigwydd y rhagenwau meddiannol ar lafar; fe'u cyfyngir i'r cywair llenyddol tra ffurfiol:

Eiddof fi yw pob cyntafanedig.
Rwy'n hoffi ei lywodraeth yn well na'r eiddot ti.
Mae ei enw yn rhagorach na'r eiddynt hwy.

Ar ddiwedd llythyr ffurfiol ceir, *Yr eiddoch yn gywir*

Cyffredin ar lafar ac yn ysgrifenedig yw'r defnydd o *eiddo* fel enw gwrywaidd unigol i ddynodi 'tir, adeiladau, meddiannau':

Faint o eiddo'ch gwraig gafodd ei ddwyn neithiwr.
Mae'n cyfeirio at nifer o gerddi o'm heiddo.
Dydy difrodi eiddo ddim yn fy mhoeni'n ormodol.
Eiddo'r Arglwydd yw'r ddaear.

(iii) Rhagenwau gofynnol

Pwy, pa yw'r rhagenwau gofynnol. Cyfeiria *pwy* at bersonau; dilynir *pa* gan enw neu gan radd gyfartal yr ansoddair neu gan *un, rhyw, rhai, maint, peth, sawl*:

Pwy a wnaeth hyn?
Pwy sy'n dweud y gwir?
Pa effaith gafodd dy bregeth di?
Pa mor bell yn ôl y digwyddodd y ddamwain?

Bydd *pa* yn cyfuno ag enwau ac ansoddeiriau i ffurfio ymadroddion (adferfau) gofynnol (gw. 63):

pa beth?	a gywesgir i	*beth*
pa bryd?	a gywesgir i	*pryd*
pa le?	a gywesgir i	*ple? ble?*
pa un?	a gywesgir i	*p'un?*
pa ryw un?	a gywesgir i	*p'run?*
pa rai?		
pa fodd?		
pa sut?	a gywesgir i	*sut?*
pa sawl?	a gywesgir i	*sawl?*
pa fath?		
pa faint?	a gywesgir i	*faint?*
pa waeth?		
pa ryw?		

(iv) Rhagenwau dangosol

Mae'r rhagenwau dangosol yn cyfleu'r gwahaniaeth rhwng personau neu bethau sydd gerllaw a phersonau neu bethau sydd ymhellach i ffwrdd. Yn yr unigol digwydd ffurfiau gwrywaidd, benywaidd a diryw:

Gwrywaidd	Benywaidd	Diryw
hwn	*hon*	*hyn*
hwnnw	*honno*	*hynny*

Ni cheir amrywio o ran cenedl yn y lluosog a'r ffurfiau *hyn, hynny,* yn unig a ddigwydd.

Dynoda *hwn, hon* a'r lluosog *hyn* bersonau neu bethau gerllaw; cyfeiria *hwnnw, honno,* a'r lluosog *hynny,* at bersonau neu bethau ymhellach i ffwrdd. Cyfeiria'r ffurfiau unigol diryw *hyn, hynny,* at haniaeth (amgylchiad, rhif, rheswm, digwyddiad, syniad, dull etc.).

Dewisir y ffurfiau gwrywaidd gydag enwau gwrywaidd neu cyfeiriant at enwau gwrywaidd; dewisir ffurfiau benywaidd gydag enwau benywaidd neu cyfeiriant at enwau benywaidd. Gall ffurfiau diryw ddigwydd gydag enwau gwrywaidd ac enwau benywaidd yn enwedig ar lafar ac mewn ysgrifennu anffurfiol. Dewisir ffurfiau lluosog gydag enwau lluosog neu cyfeiriant at enwau lluosog.

Digwydd y rhagenwau dangosol yn enwol ac yn ansoddeiriol:

I. Enwol

*Yf **hwn**.*
***Hon** oedd ei hoff foment.*
*Ef a anfonwyd at y Pab gan Harri pan oedd **hwnnw'n** chwilio am ysgariad.*
*Fe wyddai ei fod yn haeddu **hynny**.*

Gellir ychwanegu adferfau at y rhagenw dangosol: *hwn yma, hwn yna, hon yna, hon yma, hyn yna, hwn acw.* Ar lafar ac mewn ysgrifennu anffurfiol fe'u cywesgir: *honna* (hon yna), *hwncw* (hwn acw), *hwnna* (hwn yna), *hynna* (hwn yna), *hwnco* (hwn acw) [de], *honco* (hon acw) [de], *nacw* (hwn acw, hon acw) [gogledd].

Bydd y rhagenwau lluosog *hyn, hynny* yn digwydd yn gyffredin gyda *rhai*: *y rhai hyn, y rhai hynny, y rhai acw* neu eu ffurfiau cywasgedig *y rhain, y rheini/y rheiny, y rheincw.*

II. Ansoddeiriol

Pan ddigwydd y rhagenwau dangosol yn ansoddeiriol, y mae iddynt swyddogaeth oleddfol yng nghyfluniad yr ymadrodd enwol (gw. 42): Bydd y fannod bob amser yn rhagflaenu'r enw:

y** briodas **hon
y** noson **honno
yr** achos **hwnnw
y** pethau **hynny

Digwydd yr adferfau *acw, yma, yna* yn ddangosol:

> ***y*** *car* ***acw***
> ***y*** *lle* ***yma***
> ***yr*** *anghenfil* ***yna***

Digwydd y rhagenwau dangosol *hyn, hynny,* gydag arddodiaid i ffurfio ymadroddion adferfol:

ar hynny	*oherwydd hynny*
wedi hynny	*o achos hynny*
hyd hynny	*ers hynny*
wedi hyn, wedyn	*erbyn hyn*
er hynny	*erbyn hynny*
er hynny	*am hynny*
gan hynny	*oblegid hynny*

Digwyddant hefyd mewn ymadroddion idiomatig:

hwn-a-hwn	*hon-a-hon*
hyn-a-hyn	*ar hyn o bryd*
hyn o lythyr	*hyn a'r llall*
o ran hynny	

(v) Y rhagenw perthynol

Defnyddir y rhagenw perthynol i gysylltu'r cymal perthynol â phen yr ymadrodd enwol (gw. 44, 45).

(vi) Y rhagenwau atblygol

Digwydd y ffurfiau *hun, hunan* (unigol) a *hun, hunain* (lluosog) gyda'r rhagenw blaen neu'r rhagenw mewnol a bydd yn cyfeirio'n ôl at oddrych y cymal:

> *Pe bai ei thad* ***ei hun*** *yn ei gweld hi nawr.*
> *Fe'm hysgwydais* ***fy hun****.*
> *Roedd hynny ynddo'****i hun*** *yn ddigon.*
> *Sobra* ***dy hun****, Angharad.*
> *Fe'i niweidiodd* ***ei hun****.*

Gall y rhagenw atblygol yn ogystal gyfleu pwyslais gydag elfen enwol neu ragenwol:

Ar John ***ei hun*** *y mae'r baich.*
Arno ef ***ei hun*** *y mae'r baich.*
Y gwesteion ***eu hunain*** *sy'n talu am ddiodydd.*

Mae *hun* yn ffurf sy'n nodweddu Cymraeg y gogledd ond mae *hunan* yn ffurf a glywir yn y de a'r gogledd.

(vii) Y rhagenwau cilyddol

Dynoda **cilydd** 'arall, y llall', ac fe'i defnyddir gyda'r rhagenwau blaen *ei, ein, eich* a gyda'r rhagenwau mewnol *'i, 'w, 'n, 'ch*:

Gwenodd y ddau ar ***ei gilydd.***
Gwenwn ar ***ein gilydd.***
Edrychwch ar ***eich gilydd.***
*Deuai'r digwyddiad i'w feddwl o bryd i'****w gilydd.***
*Canwn gyda'****n gilydd***

49 *Ansoddeiriau*

Mae ansoddeiriau yn dynodi'r nodwedd neu'n cyfleu'r ansawdd a berthyn i enw neu ragenw.

Rhai o nodweddion ansoddair

❐ Gellir defnyddio ansoddair yn ebychiadol (gw. 9): *Ardderchog!, Bendigedig!, Gwarthus!, Grêt!*

❐ Gall ansoddair oleddfu enw (gw. 42): ***hen*** *gar* ***rhydlyd****, gwasgod* ***goch****, tywydd* ***braf****, noson* ***aeafol****, bywyd* ***segur***. Treiglir ansoddair yn feddal yn dilyn enw benywaidd unigol (gw. Atodiad 1).

❐ Gellir goleddfu llawer o ansoddeiriau gan *pur, tra, iawn* a ffurfiau eraill sy'n ddibynnol ar ansoddair (gw. 43): ***tra*** *boddhaol, cyffredin* ***iawn****, newydd* ***sbon****,* ***pur*** *anesmwyth,* ***go*** *goch.*

❐ Mae pedair gradd gymhariaeth gan y rhan fwyaf o lawer o ansoddeiriau (gw. 50), sef cysefin, cyfartal, cymharol, eithaf. Dynodir y cyferbyniad rhwng y gwahanol raddau trwy chwanegu'r terfyniadau *-ed* (cyfartal), *-ach* (cymharol), *-af* (eithaf) at y gysefin: *du, dued, duach, duaf; glas, glased, glasach, glasaf.* Bydd ansoddeiriau eraill megis *llwydaidd*, yn dilyn *mor* (cyfartal), *mwy* (cymharol), *mwyaf* (eithaf): *mor llwydaidd, mwy llwydaidd, mwyaf llwydaidd.* Yn dilyn *mor*, treiglir ansoddair yn feddal (gw. Atodiad 1) ac eithrio ansoddeiriau ag *ll-, rh-* yn ddechreuol: *difflach, mor ddifflach, mwy difflach, mwyaf difflach; lletchwith, mor lletchwith, mwy lletchwith, mwyaf lletchwith.*

❐ Gellir ffurfio adferf (gw. 54) trwy roi'r arddodiad (gw. 64) *yn* o flaen yr ansoddair; yn dilyn *yn*, treiglir ansoddair yn feddal ac eithrio ansoddeiriau ag *ll-, rh-* yn ddechreuol: *yn dda, yn fendigedig, yn llwfr, yn urddasol, yn las, yn safonol.*

❐ Gall llawer o ansoddeiriau weithredu'n draethiadol (gw. 18, 54):

Mae ef yn dal
Bydd y tywydd yn braf
Roedd y pwdin yn flasus.

Ol-ddodiaid ansoddeiriol

Ni ellir, fel rheol, adnabod ansoddair wrth ei ffurf, (er enghraifft nid oes dim yn ffurf *tew, gwan, da* sy'n awgrymu mai ansoddeiriau ydynt) ond mae'r ôl-ddodiaid isod yn gallu awgrymu bod ffurf yn ansoddair:

-ad:	*caead*
-aid:	*euraid*
-aidd:	*hafaidd, angylaidd, gwladaidd, plentynnaidd, oeraidd*
-ar:	*cynnar, diweddar*
-awl, **-ol**:	*corawl, rhagbaratoawl, dymunol, hudol, swyddogol, cefnogol, beirniadol*
-adwy:	*ofnadwy, dealladwy, cofiadwy, darllenadwy, anghredadwy*
-ed:	*agored*
-(i)edig:	*breintiedig, blinedig, caredig, cyfyngedig, unedig*
-gar:	*amyneddgar, beiddgar, dialgar, enillgar, cyfeillgar*
-ig:	*deheuig, lloerig, gwledig, academig, deinamig*
-in:	*cyffredin, cysefin, gerwin*
-lon:	*bodlon, ffrwythlon, ffyddlon, maethlon, prydlon, cyfreithlon*
-llyd, **-lyd**:	*busneslyd, cybyddlyd, gwaedlyd, tanllyd, drewllyd*
-(i)og:	*gwlanog, arfog, oriog, galluog, niwlog, cyfoethog*
-us:	*llafurus, blinderus, costus, trafferthus, llwyddiannus, siaradus*

Dyma nodi rhai o'r gwahaniaethau ystyr y gall rhai o'r ôl-ddodiaid ansoddeiriol eu cyfleu:

afreolaidd 'anarferol'	*berfau afreolaidd*
afreolus 'na ellir ei reoli'	*plant afreolus*
boddhaol 'cymeradwy'	*traethawd boddhaol*
boddhaus 'bodlon'	*merch foddhaus*
canolig 'cymhedrol'	*perfformiadau canolig*
canolog 'yn y canol, cyfleus'	*lle canolog*
cyfreithgar 'yn dueddol i gyfreitha'	*teulu cyfreithgar*
cyfreithiol 'yn ymwneud â'r gyfraith'	*dogfen gyfreithiol*
cyfreithlon 'yn unol â'r ddeddf neu'r rheol'	*chwarae cyfreithlon*

gwladaidd 'yn nodweddiadol o gefn gwlad'	*wyneb gwladaidd*
gwledig 'yng nghefn gwlad'	*bwthyn gwledig*
gwlatgar 'yn falch o'i wlad'	*teulu gwlatgar*
gwladol 'yn perthyn i wlad'	*gwasanaeth gwladol*
parhaol 'yn digwydd yn ddi-fwlch'	*addysg barhaol*
parhaus 'yn digwydd yn aml'	*helynt parhaus*
rhamantaidd 'yn ymwneud â Rhamantiaeth'	*y cyfnod rhamantaidd*
rhamantus 'yn ymwneud â chariad'	*awyrgylch rhamantus*

Yr ôl-ddodiad ansoddeiriol mwyaf cynhyrchiol yw **-ol**. Fel rheol bydd yr ôl-ddodiaid **-adwy**, **-edig** yn cyfleu ystyr oddefol sef yn dynodi yr hyn y gellir neu y dylid ei wneud (er enghraifft, *gweladwy, dealladwy, breintiedig, unedig*) ond ceir llawer o ffurfiau yn *-adwy, -edig* ag iddynt rym gweithredol (er enghraifft, *caredig, tröedig, safadwy*).

50 *Cymharu ansoddeiriau*

Ceir pedair gradd gymhariaeth i'r ansoddair, sef

1 cysefin
2 cyfartal
3 cymharol
4 eithaf

Mae'r ansawdd a ddynodir gan y radd gyfartal yn gwbl gyfartal i'r ansawdd a gyfleir gan y radd gysefin; mae'r ansawdd a gyfleir gan y radd gymharol o radd uwch na'r hyn a ddynodir gan y radd gyfartal; mae'r ansawdd a ddynodir gan y radd eithaf naill ai'n rhagori ar y cyfan neu'n waeth na'r cyfan:

Roedd yr afal yn ***sur***	gradd gysefin
Roedd yr afal cyn ***sured*** *â'r oren*	gradd gyfartal
Roedd yr afal yn ***surach*** *na'r eirin a'r grawnwin*	gradd gymharol
Yr afal yw'r ***suraf*** *o'r ffrwythau hyn*	gradd eithaf

Ansoddeiriau rheolaidd

Mae'r dosbarth o ansoddeiriau rheolaidd yn cael eu ffurfio o'r radd gysefin trwy ychwanegu *-ed* er mwyn ffurfio'r radd gyfartal, trwy ychwanegu *-ach* er mwyn ffurfio'r radd gymharol, trwy ychwanegu *-af* er mwyn ffurfio'r radd eithaf:

Cysefin	Cyfartal	Cymharol	Eithaf
cas	*cased*	*casach*	*casaf*
dewr	*dewred*	*dewrach*	*dewraf*
du	*dued*	*duach*	*duaf*
glân	*glaned*	*glanach*	*glanaf*
pur	*pured*	*purach*	*puraf*

Pan yw'r radd gysefin yn diweddu yn *-b, -d, -g, -dr, -gr, -dl,* caledir y rhain yn *-p, -t, -c, -tr, -cr, -tl,* o flaen *-ed, -ach, -af:*

gwlyb	*gwlyped*	*gwlypach*	*gwlypaf*
hyfryd	*hyfryted*	*hyfrytach*	*hyfrytaf*
teg	*teced*	*tecach*	*tecaf*
budr	*butred*	*butrach*	*butraf*
hagr	*hacred*	*hacrach*	*hacraf*
huawdl	*huotled*	*huotlach*	*huotlaf*

> Ni ddigwydd calediad mewn benthyceiriau megis *od, oded odach, odaf*

Mewn rhai ansoddeiriau bydd *-w-* neu *-aw-* yn troi'n *-y-* neu'n *-o-*, o flaen *-ed, -ach, -af*:

trwm	*trymed*	*trymach*	*trymaf*
tlws	*tlysed*	*tlysach*	*tlysaf*
tlawd	*tloted*	*tlotach*	*tlotaf*

Dyblir *-n-* ac *-r-* yn dilyn llafariad fer yn y goben, sef yn y sillaf olaf ond un:

llon	*llonned*	*llonnach*	*llonnaf*
gwyn	*gwynned*	*gwynnach*	*gwynnaf*
byr	*byrred*	*byrrach*	*byrraf*

Ansoddeiriau afreolaidd

Cysefin	**Cyfartal**	**Cymharol**	**Eithaf**
agos	*nesed*	*nes*	*nesaf*
bychan, bach	*lleied*	*llai*	*lleiaf*
cynnar	*cynted*	*cynt*	*cyntaf*
buan			
da	*cystal*	*gwell*	*gorau*
drwg	*cynddrwg*	*gwaeth*	*gwaethaf*
hawdd	*hawsed*	*haws*	*hawsaf*
anodd	*anhawsed*	*anos*	*anhawsaf*
hen	*hyned*	*hŷn, hynach*	*hynaf*
hir	*cyhyd*	*hwy*	*hwyaf*
ieuanc	*ieuanged, ifanged, ifanced, ieued*	*iau, ieuangach, ifancach*	*ieuangaf, ifancaf, ieuaf*
isel	*ised*	*is*	*isaf*

uchel	*uched, cyfuwch*	*uwch*	*uchaf*
mawr	*cymaint*	*mwy*	*uchaf*
llydan	*cyfled, lleted*	*lletach*	*lletaf*

Gellir cymhariaeth reolaidd i'r ansoddeiriau isod yn enwedig mewn cywair anffurfiol:

agos	*agosed*	*agosach*	*agosaf*
cynnar	*cynhared*	*cynharach*	*cynharaf*
hawdd	*hawdded*	*hawddach*	*hawddaf*
llydan	*llydaned*	*llydanach*	*llydanaf*
hen	*hened*	*henach*	*henaf*
hir	*hired*	*hirach*	*hiraf*
isel	*ised*	*isach*	*isaf*
uchel	*ucheled*	*uchelach*	*uchelaf*

Diffygiol yw cymhariaeth yr ansoddeiriau isod, h.y. y ffurfiau isod yn unig a all ddigwydd:

(i) gradd eithaf *eithaf*
(ii) gradd gymharol *trech* gradd eithaf *trechaf*
(iii) gradd gymharol *amgen, amgenach*

Bydd ychydig enwau yn newid eu dosbarth geiriol ac yn troi'n ansoddeiriau pan ychwanegir terfyniadau cymhariaeth atynt:

pen	gradd eithaf	*pennaf*
rhaid	gradd gyfartal	*rheitied*, gradd gymharol *rheitiach*,
	gradd eithaf	*rheitiaf*
elw	gradd gymharol	*elwach*
blaen	gradd eithaf	*blaenaf*
ôl	gradd eithaf	*olaf*
diwedd	gradd eithaf	*diwethaf*
lles	gradd gymharol	*llesach*
amser	gradd gymharol	*amserach*
rhagor	gradd gymharol	*rhagorach*

Gellir ffurfio ansoddair gradd gyfartal trwy roi'r rhagddodiad *cyf-* o flaen yr enwau isod; dilynir *cyf-* gan y treiglad meddal:

lliw	*cyfliw*
lled	*cyfled*

urdd	*cyfurdd*
gwerth	*cyfwerth*
oed	*cyfoed*
rhyw	*cyfryw*
gradd	*cyfradd*
gwedd	*cyfwedd*

Gellir defnyddio *un* yn gyffelyb: *unlliw, unwedd.* Digwydd *trilliw* yn ogystal.

Fel rheol cymherir ansoddeiriau sy'n cynnwys mwy na dwy sillaf mewn dull cwmpasog neu beriffrastig, h.y. trwy roi *mor, mwy, mwyaf* o flaen y radd gysefin. Bydd y treiglad meddal yn dilyn *mor*, ond mae *ll-, rh-* yn gwrthsefyll treiglo:

Cyfartal	**Cysefin**	**Cymharol**	**Eithaf**
dymunol	*mor ddymunol*	*mwy dymunol*	*mwyaf dymunol*
gwyntog	*mor wyntog*	*mwy gwyntog*	*mwyaf gwyntog*
swynol	*mor swynol*	*mwy swynol*	*mwyaf swynol*
diog	*mor ddiog*	*mwy diog*	*mwyaf diog*
llwfr	*mor llwfr*	*mwy llwfr*	*mwyaf llwfr*
rhydlyd	*mor rhydlyd*	*mwy rhydlyd*	*mwyaf rhydlyd*

Cymherir y rhan fwyaf o ansoddeiriau'n rheolaidd ac mae'n arferol cymharu ansoddeiriau cyfansawdd, sef ansoddeiriau sy'n gyfuniad o fwy nag un elfen, yn y dull cwmpasog. Gellir cymharu pob ansoddair rheolaidd yn gwmpasog:

mor dda *mor llydan* *mor fawr* *mor hardd*

Fel rheol, sut bynnag, cymherir *gwerthfawr* fel hyn:

gwerthfawroced *gwerthfawrocach* *gwerthfawrocaf*

O raddau eithaf yr ansoddeiriau *da, hen, pell* y llunnir yr enwau lluosog *goreuon, hynafiaid, pellafoedd*:

Y goreuon a gaiff eu dewis.
Fe'i cyflwynwyd i hynafiaid y bobl.
Teithiodd bellafoedd daear.

51 *Ansoddeiriau unigol a lluosog*

Mae'r ansoddair, fel yr enw, yn ffurfdroi i ddynodi rhif unigol a rhif lluosog ond yn ymarferol cyfartaledd bychan iawn yn unig o ansoddeiriau'r iaith sy'n newid eu ffurf i gytuno ag enw lluosog. Digwydd hynny, gan amlaf, mewn cyfuniadau penodol megis *mwyar duon, arian gleision, merched ifainc, bochau cochion, syfi cochion, wythnosau hirion.*

> Ar lafar y ffurfiau lluosog *budron, byrion, bychain, cochion, cryfion, duon, gleision, gwynion, hirion, ifainc/ifenc, mawrion,* a glywir amlaf.

Gellir dewis naill ai ansoddair rhif unigol neu ansoddair rhif lluosog gydag enw lluosog:

gwirioneddau mawrion	*llygaid mawr*
llygaid cochion	*rhosynnau coch*
wynebau celyd	*dynion caled*
dillad gwlybion	*tymhorau gwlyb*
enwau budron	*dynion budr*
cymylau hirion	*rhesi hir*
cymeriadau geirwon	*tiroedd garw*
gwindai bychein	*merched bychan*

❒ Enw benywaidd unigol yw *pobl*, ond mae'n dorfol o ran ystyr a gellir ei ddilyn naill ai gan ansoddair lluosog neu gan ansoddair unigol:

pobl dduon *pobl ifanc*

❒ Bydd yr ansoddair lluosog *eraill* (unigol *arall*) bob amser yn dilyn enw lluosog yn yr iaith ysgrifenedig:

dynion eraill *pethau eraill*

❒ Gweithredu fel enwau yn unig a wna llawer o ffurfiau lluosog yn -(*i*)*on, -iaid*:

tlodion	*cyfoethogion*	*deillion*
caethion	*doethion*	*caredigion*
graddedigion	*dysgedigion*	*parchedigion*
meddwon	*meirwon*	*graddedigion*
enwogion	*pwysigion*	*gwybodusion*
hoywon	*cleifion*	*dewrion*
gwahoddedigion	*ffyddloniaid*	*hynafiaid*

Digwydd dwy ffurf luosog i rai ansoddeiriau, y naill yn arddangos cyfnewid llafarog a'r llall wedi ei ffurfio drwy ychwanegu'r terfyniad lluosog -(*i*)*on*:

hardd	*heirdd, heirddion*
garw	*geirw, geirwon*
marw	*meirw, meirwon*
caled	*celyd, caledion*
balch	*beilch, beilchion*

52 *Ffurfiau benywaidd yr ansoddair*

Ar gyfer ychydig o ansoddeiriau'n unig y ceir ffurf fenywaidd wahaniaethol. Dewisir ffurfiau gwrywaidd yr ansoddair yn gyffredin gydag enw benywaidd unigol:

cornel dywyll *wythnos drwm* *daear wlyb*

Digwydd ffurf fenywaidd unigol i radd gysefin rhai ansoddeiriau (unsill gan mwyaf) sy'n cynnwys *-w-* neu *-y-*:

-w- > -o

Gwrywaidd	**Benywaidd**
brwnt	*bront*
crwm	*crom*
crwn	*cron*
cwta	*cota*
dwfn	*dofn*
llwm	*llom*
tlws	*tlos*
trwm	*trom*
trwsgl	*trosgl*

-y- > -e-

bychan	*bechan*
byr	*ber*
cryf	*cref*
gwyn	*gwen*
gwyrdd	*gwerdd*
hysb	*hesb*
llym	*llem*
syml	*seml*
tywyll	*tywell*
melyn	*melen*
llyfn	*llefn*

-i- > -ai-

brith	*braith*

❒ Yr ansoddair gwrywaidd a ddewisir fel rheol yn dilyn *yn* traethiadol (gw. 18, 54): *y mae'r ferch yn wyn; y mae'r gaseg yn gryf.*

❒ Y mae'r ffurf fenywaidd *hesb* wedi disodli *hysb* bron yn llwyr: *dau berson hesb*; *bydd yr afon yn hesb a sych.*

Enghreifftiau:

cadair drom	*chwarel ddofn*	*lawnt lefn*
carfan gref	*taith fer*	*disgyblaeth lem*
neuadd lom	*potel werdd*	*siop front*
cornel dywell	*oenig fechan*	*tiwn gron*
ffurfafen fraith	*brawddeg gota*	*ergyd drom*

53 *Adferfau*

Elfen yn y cymal yw adferf (gw. 3, 18) a gall adferfau ac elfennau adferfol gyflawni amryw swyddogaethau gwahanol o fewn y cymal.

❐ Gallant ychwanegu at ein gwybodaeth am ferf trwy gyfeirio at ddull neu le neu ansawdd neu adeg:

Cerddodd ***yn gyflym***	(Berf + Adferf)
Areithiodd ***yn rymus***	(Berf + Adferf)
Codais ***yn brydlon***	(Berf + Adferf)
Llwyddodd ***yn anrhydeddus***	(Berf+ Adferf)
Cysgais ***yno***	(Berf + Adferf)
Cyrhaeddodd ***ddoe***	(Berf + Adferf)
Fe gysgaf ***heno***	(Berf + Adferf)

❐ Gallant ychwanegu at ein gwybodaeth am ansoddair (gw. 49) trwy oleddfu'r ansoddair:

llwm ***iawn***	(Ansoddair + Adferf)
tra *boddhaol*	(Adferf + Ansoddair)
lled *dda*	(Adferf + Ansoddair)
go *hen*	(Adferf + Ansoddair)
pur *anesmwyth*	(Adferf + Ansoddair)
hollol *ddiflas*	(Adferf + Ansoddair)

❐ Gallant ychwanegu at ein gwybodaeth am adferfau:

unwaith eto	(Adferf + Adferf)
llawer mwy	(Adferf + Adferf)

Nid yw'r dosbarthiad uchod, sut bynnag, yn foddhaol nac yn gynhwysfawr ac yn yr adrannau sy'n dilyn (54 – 63) bydd cyfle i fanylu ymhellach.

Ym mrawddeg agoriadol yr adran hon cyfeiriwyd at adferfau ac at elfennau adferfol. Sylwyd eisoes (gw. 18) fod amryw ffurfiau gan yr elfen adferfol a bod modd i adferf ddewis amryw safleoedd o fewn y frawddeg (gw. 12, 13, 18). Wrth ddarllen ymlaen bydd yn fuddiol cadw hynny mewn cof.

54 *Adferfau dull o fath yn + ansoddair*

Gwelwyd (gw. 18, 53) fod modd ffurfio adferfau o *yn* traethiadol + ansoddair. Mae'r dosbarth hwn o adferfau yn ddosbarth helaeth ac yn cynnwys y rhan fwyaf o'r adferfau sy'n dynodi dull. Dilynir yr *yn* traethiadol gan y treiglad meddal (ond bydd *ll-* a *rh-* yn gwrthsefyll treiglo). Gellir dyblu ansoddair cysefin ac ansoddair cymharol er mwyn dwysáu eu harwyddocâd. At y modd y cyflawnwyd gweithred y ferf y mae'r cyfluniad *yn* + ansoddair yn cyfeirio ac oherwydd hynny statws adferfol sydd iddo.

Er enghraifft,

Croeswch ***yn gyflym.***
Rhedodd ***yn gyflym gyflym.***
Troes ***yn gochach gochach.***
Cerddodd ***yn araf araf.***
Dringwch ***yn araf.***
Daeth ***yn brydlon.***
Aeth ***yn waeth waeth.***
Glawiodd ***yn ysgafn.***
Roedd y cynllun yn ymddangos ***yn drafferthus.***
Canodd ***yn swynol.***
Canodd ***yn swynol swynol.***
*Cwblhaodd yr arholiadau'****n llwyddiannus.***
*Mae wedi cwblhau yr arholiadau'****n llwyddiannus.***
Bydd yn cyrraedd ***yn fuan.***
Caeodd y drws ***yn ofalus.***
*Teimlai'****n wan wan.***
*Teimlai'****n wannach wannach.***
Gwaeddodd ***yn groch.***
Neidiodd ***yn uchel.***
Sgrymiodd ***yn gadarn.***
Bowliwyd ***yn llyfn.***

Gellir goleddfu (gw. 58) llawer iawn o ansoddeiriau:

Sgrymiodd yn gadarn ***iawn.***
Sgrymiodd yn ***go*** *gadarn.*

Neidiodd yn ***lled*** *uchel.*
Teimlai'n ***bur*** *wan.*

Mae'r *yn* traethiadol yn rhan hanfodol o'r elfen adferfol a rhaid gofalu i beidio â chymysgu rhyngddi a'r *yn* sy'n cyflwyno'r dibeniad o ansoddair neu enw yn dilyn un o ffurfiau'r ferf *bod*, yng nghyfluniad y frawddeg gypladol (gw. 14) fel yn yr enghreifftiau isod:

Mae hi yn ddigalon.
Maen nhw'n llwyddiannus.
Rwyf i'n fyfyriwr.
Dywedodd fy mod i'n ddiog.
Cytunais 'mod i yn anghofus.

Yn yr enghreifftiau uchod mae'r *yn* traethiadol yn rhagflaenu'r dibeniad o enw neu ansoddair (gw. 14, 16, 30).

Yn yr iaith ysgrifenedig ni threiglir yr ansoddair *braf* yn dilyn yr *yn* traethiadol:

Cysgodd yn braf *Mae'r tywydd yn braf.*

Pan fydd *yn* traethiadol yn rhagflaenu'r ansoddair *tyn*, dyblir yr *n* yn y ffurf dreigledig:

tyn *yn dynn*

Gall trefnolyn yn ogystal ddilyn *yn* traethiadol:

Hyhi sy'n ***ail***
Dau frawd a ddaeth yn ***drydydd*** *ac yn* ***bedwerydd***

Yn aml ni bydd *yn* traethiadol yn rhagflaenu *cyntaf*, ond treiglir y gytsain ddechreuol yn feddal (gw. Atodiad 1):

Nhw a gyrhaeddodd gyntaf.

Gall *gan* a *trwy* gyflwyno nifer fach o adferfau dull:

Fe ddaeth pethau gan bwyll.
Fe'i cafwyd trwy dwyll.
Enillwyd trwy deg.

55 *Adferfau sy'n cyfleu amser*

Mae'r is-ddosbarth hwn yn cynnwys llu o ymadroddion enwol (gw. 18, 31) a llu o ymadroddion arddodiadol.

Ymadroddion enwol yn gweithredu'n adferfol
Er enghraifft,

*Arhosais yno **flwyddyn**.*
*Af i'r Eisteddfod **bob blwyddyn**.*
*Mae hi'n bwrw glaw **bob dydd**.*
*Daeth gyda ni **droeon**.*
*Bydd yn dod atom **bob mis**.*
*Fe'ch gwelwn **ddydd Sadwrn**.*
*A oes gwasanaeth **brynhawn Sul**?*
***Ddeng wythnos oed** oedd hi.*
***Ddechrau'r mis** cewch ail gyfle.*
*Cawn wyliau yn Ffrainc **adeg y Pasg**.*
*Mae'n anodd cael dau pen llinyn ynghyd **y dyddiau hyn**.*
*Bydd popeth yn iawn **y tro nesaf**.*
*Bûm yno **ddwywaith.***

Yn gyffredin nodweddir ymadroddion enwol a ddefnyddir yn adferfol gan dreiglad meddal (gw. Atodiad 1).

Ymadroddion arddodiadol yn gweithredu'n adferfol
Er enghraifft,

*Bydd byw **am byth**.*
*Mae hi wedi aros **am hir**.*
*Bu pethau'n wahanol **o hynny ymlaen**.*
*Cefais hyd iddynt **o'r diwedd**.*
*Rwy'n ei gweld **yn achlysurol**.*
*Af i Lanelli'**n aml.***
*Byddaf yn talu am y papurau **yn fisol.***

Bu'n poeni'r cymdogion ***yn ddibaid.***
Cyfrannai i'r capel ***yn wythnosol.***
Roedd yn aelod ***tan yn ddiweddar.***
Mae'n chwibanu ***trwy'r amser.***
Aethant i eistedd ***o gwmpas y bwrdd.***
Cyrhaeddodd y parsel ***mewn pryd.***
Bydd y tywydd yn gwella ***yn y man.***
Mae'n codi ***am naw o'r gloch.***
Yr wyf wedi ei glywed ***o'r blaen.***
Byddaf yn eu gweld ***o bryd i'w gilydd.***
Bydd yn dod ***yn gyson.***

Adferf seml yn dynodi'r elfen adferfol
Er enghraifft,

Gwelais ei fam ***ddoe.***
Galwodd yma ***echnos****.*
Drannoeth *cododd yn gynnar.*
Maen nhw wedi cael gwyliau ***eleni****.*
Y llynedd *aethant i'r Ffindir.*
Nawr *yw'r amser i daro.*
Cawn gyfle ***rŵan****.*
Awn ***yfory****.*
Daliwyd pysgodyn ***neithiwr.***

56 *Byth ac erioed*

Cyfeirio at amser a wna'r adferfau *byth* ac *erioed* yn ogystal. Fel rheol digwyddant mewn cymalau negyddol. Gall *byth* gyfeirio at y presennol neu at y dyfodol neu gyfleu parhad diffyg cyflawni'r gweithgarwch a arwyddir gan y ferf:

Nid yw ***byth*** *yn crybwyll hynny.*
Ni fydd John ***byth*** *yn gwybod.*
Fyddaf i ***byth*** *yn dod yma ar fy mhen fy hun.*
Dydyn nhw ***byth*** *yn blino sôn am eu plant.*
Doeddwn i ***byth*** *yn mwynhau'r Nadolig.*
Ni chaf i ***byth*** *gyfle i ddod yma eto.*

Bydd *erioed* yn cyfeirio tua'r gorffennol gan gyfleu nad yw'r gweithgarwch a gyfleir gan y ferf wedi ei gyflawni. Gall, yn ogystal, gyfleu syndod:

Ni wnaethai'r mab hynaf ***erioed*** *godi bys i helpu ei fam.*
Nid yw Gwilym ***erioed*** *wedi torri tafell o fara.*
A yw Gwilym ***erioed*** *wedi cyflawni ei addewidion?*
Ni fûm i ***erioed*** *mor oer yn fy mywyd.*
Dydy John ***erioed*** *yn gweithio!*
Fydd Gwilym ***erioed*** *wedi cyrraedd mewn pryd!*

Gall *byth* ac *erioed* gyfleu yn ogystal atebion negyddol:

A wyt ti'n gweld Mr Jones o gwbl? ***Byth.***
A fuoch chi yn y Ffindir? ***Erioed.***

57 *Adferfau lleoliadol a chyfeiriadol*

❒ Bydd amryw adferfau sy'n cyfeirio at leoliad a bennir gan y siaradwr yn cynnwys (*y*) *tu*, er enghraifft:

> (*y*) *tu allan*, (*y*) *tu mewn*, (*y*) *tu cefn*, (*y*) *tu ôl*, (*y*) *tu draw*, (*y*) *tu hwnt*
>
> *Gad y ci* ***tu allan****.*
> *Yn yr haf does dim rhaid bwyta pob pryd* ***tu mewn****.*
> *Pam wyt ti'n sefyll* ***tu ôl?***
> *Mae pethau wedi mynd* ***tu hwnt****.*

Os oes angen manylu ymhellach gall ymadrodd arddodiadol a gyflwynir gan yr arddodiad *i* ddilyn:

> *Pam wyt ti'n eistedd* ***tu ôl i'r piler?***
> *Byddaf yn aros amdani* ***y tu allan i Swyddfa'r Post****.*
> *Mae pethau wedi datblygu* ***y tu hwnt i bob rheswm.***

Gall *tu hwnt* oleddfu ansoddair yn ogystal (gw. 58): *Yr oedd hi'n wers ddiflas* ***tu hwnt.***

Gall adferfau lleoliadol gyfeirio at safle neu fan a bennir gan y siaradwr neu'r awdur yn ogystal â chyfleu symud i gyfeiriad y man hwnnw neu o gyfeiriad y man hwnnw.

❒ Adferfau sy'n cyfeirio at safle neu fan arbennig a bennir gan y siaradwr neu'r awdur. Er enghraifft:

> *yma, yna, yno, acw*
> *Roeddwn i* ***yno****.*
> *Mae hi* ***yna****.*
> *Mae ef* ***acw****.*
> *Bydd pawb* ***yno****.*

❒ Adferfau sy'n cyfleu symud at fan neu o fan neu safle arbennig a bennir gan y siaradwr neu'r awdur. Er enghraifft:

> (*i*) *fyny,* (*i*) *lawr, ymlaen, yn ôl, adref, i rywle, o rywle, i bobman, o bobman*
> *Dos* ***i fyny***.
> *Tyrd* ***i lawr***.
> *Cer* ***yn ôl***.
> *Dere* ***adref***.
> *Cerddwch* ***ymlaen***.
> *Trowch* ***i'r dde***.
> *Cerddwch* ***tua'r parc***.
> *Trowch* ***i'r chwith.***
> *Ewch* ***dros y bont.***

Fel y dengys yr enghreifftiau uchod, mae llawer o ymadroddion arddodiadol yn adferfau lleoliadol a chyfeiriadol.

58 *Adferfau sy'n goleddfu ansoddair*

Nodwn yn yr adran hon yr adferfau hynny sydd yn gyffredin yn goleddfu ansoddeiriau.

❒ Yr adferf o oleddfydd yn dilyn yr ansoddair. Er enghraifft,

> *Yr oedd hi'n cerdded yn urddasol **iawn**.*
> *Maen nhw'n siarad yn ddistaw **bach**.*
> *Aeth pethau'n ddrwg **ofnadwy**.*
> *Trodd y tywydd yn oer **dychrynllyd**.*
> *Gwisgodd yn drwsiadus **dros ben**.*
> *Roedd wedi dweud yn iawn **ei wala**.*
> *Maen nhw'n bobl ystyriol **tu hwnt**.*

❒ Yr adferf o oleddfydd yn rhagflaenu'r ansoddair. Er enghraifft,

> *Mae hi'n gweithio'n **ddigon** cydwybodol.*
> *Roedd pethau'n **lled** gysurus.*
> *Aeth pethau'n **llawer** gwaeth.*
> *Bydd dy ymdrechion yn **hollol** ddiffrwyth.*
> *Mae Ioan yn **rhy** ddioglyd.*
> *Roedd hi wedi dysgu nofio yn **eithaf** da.*
> *Aeth pethau'n **bur** dda.*
> *Mae hi'n **gymharol** ddedwydd.*
> *Bu'r economi yn **weddol** lewyrchus.*
> *Mae'r cynnwys yn **go** denau.*

Bydd treiglad meddal (gw. Atodiad 1) yn dilyn *rhy, lled, hollol, gweddol, cymharol, go, pur*. Mae tuedd, yn enwedig ar lafar i *ll-* wrthsefyll treiglo yn dilyn *rhy, lled, go, pur*.

❒ Yr adferf o oleddfydd yn cynnwys cyfluniad ymadrodd arddodiadol.
(i) Trefn yr olyniad yw *yn* + ansoddair + *o* + ansoddair:

Yr oedd pawb wedi canu ***yn arbennig o dda****.*
*Mae'r dref wedi tyfu****'n hynod o gyflym****.*
Roedd Llundain ***yn ofnadwy o ddrud****.*
Mae'r parsel ***yn andros o drwm****.*

(ii) Trefn yr olyniad yw *yn* + ansoddair + *o/gan* + enw:

*Roedd hi****'n brin o arian****.*
*Mae'r caeau****'n wyn o eira****.*
*Bydd y lle****'n dew gan fwg****.*

Ni ellir goleddfu ansoddeiriau megis *prif* ac *ychwanegol.*

59 *Berfenw mewn swyddogaeth adferfol*

Mewn ymadroddion megis *bloeddio canu, igian crio, chwipio rhewi, snwffian crio, gwichian chwerthin, mwmian canu, huno cysgu, treisio bwrw,* sy'n cynnwys berfenw + berfenw (gw. 21), swyddogaeth ddwysfawr, ac felly adferfol, sydd i'r berfenw cyntaf:

Roedd y ferch yn ***beichio*** *crio.*
Bydd y bryniau'n ***bloeddio*** *canu.*
Trodd y crio'n ***igian*** *crio.*
Mae Dafydd yn ***huno*** *cysgu.*

60 *Ffurfiau onomatopëig yn adferfol*

Ffurf yn cynnwys clwstwr o seiniau naturiol sydd wedi eu cysylltu â'r weithred neu'r peth dan sylw yw ffurf onomatopëig. Er enghraifft,

Bu'n cnoi ei afal ***grwns-grans*** *gydol y rhaglen.*
Aeth y ceffyl heibio ***glip-glap****.*
Torrodd y coed ***grits-grats*** *dan ei draed.*
Cwympodd o ben yr ysgol ***dwmbwl-dambwl****.*
Gallem ei glywed ***dy-dwmp-dy-damp****.*
Canai'r dylluan ***tw-whit-tw-hw****.*

61 *Adferfau o fath ar + enw, ar + berfenw*

Bydd amryw adferfau sy'n dynodi cyflwr yn cynnwys *ar*, er enghraifft:

ar agor, ar ben, ar dân, ar ddihun, ar fai, ar frys,
ar gael, ar gau, ar glo, ar goll, ar wahân, ar werth

Bydd y swyddfa ***ar gau*** *am weddill y dydd.*
Ydy hi ***ar ben*** *ar dîm rygbi Cymru?*
Rhys sydd ***ar fai*** *am droseddu.*
Mae'n dweud ei fod ef a'i gyfeillion ***ar goll.***
Bu'r wraig ***ar ddihun*** *drwy'r nos.*
Tyrd ***ar frys.***
Cadw di'r ceiniogau a'r punnoedd ***ar wahân.***
Nid yw'r Athro ***ar gael*** *heddiw.*

62 *Adferfau brawddeg ac adferfau traethiadol*

Adferfau Brawddeg

Bydd adferfau brawddeg yn goleddfu brawddegau cyfain. Dyma nodi rhai enghreifftiau cyffredin:

> *mae'n debyg, debyg (iawn), decini, weithiau, efallai, gobeithio, mae'n ymddangos*

> *Pwrpas hynny oedd sicrhau cyfle i bawb,* ***mae'n debyg.***
> ***Debyg iawn****, doedd hi ddim yn bwriadu sarhau neb.*
> *Bydd hi'n iach erbyn dydd Sul,* ***gobeithio.***
> ***Weithiau****, daw heibio i'r tŷ wrth fynd am dro.*

> Yn yr iaith lenyddol gellir disgwyl, fel rheol, atalnod rhwng adferf brawddeg a'r cymal sy'n dilyn neu'n rhagflaenu. Ar lafar gellir disgwyl saib rhwng yr adferf a'r cymal a bydd tiwn esgynnol, fel rheol, i oslef yr adferf.

Yn aml bydd adferfau a luniwyd o *yn* + ansoddair (gw. 54) yn gweithredu fel adferfau brawddeg:

> ***Yn sydyn****, cododd o'r gadair.*
> ***Yn ofalus****, dringodd i ben yr ysgol.*

Adferfau Traethiadol

Bydd adferfau traethiadol yn dilyn y traethiedydd yn uniongyrchol. Dyma nodi rhai enghreifftiau cyffredin:

> *Dewch* ***i mewn*** *i gysgodi.*
> *Mae'r plant yn dod* ***ymlaen*** *yn yr ysgol.*

Grym cyfeiriadol (gw. 57) sydd i'r enghreifftiau uchod.

> Ar lafar clywir *lan, lawr, ma(e)s, nôl, mla(e)n, allan,* yn gyffredin yn y swyddogaeth hon: *cerwch mas, dewch lan, ciciwch e nôl, caewch nhw allan, mae e wedi mynd lan.*

63 *Adferfau gofynnol*

Bydd *pa* yn cyfuno ag enwau ac ansoddeiriau i ffurfio adferfau (ymadroddion) gofynnol (gw. 48 (iii)):

pa beth?	a gywesgir i	*beth?*
pa bryd?	a gywesgir i	*pryd?*
pa le?	a gywesgir i	*p'le?, ble?*
pa un?	a gywesgir i	*p'un?*
pa ryw un?	a gywesgir i	*p'run?*
pa rai?		
pa fodd?		
pa sut?	a gywesgir i	*sut?*
pa sawl?	a gywesgir i	*sawl?*
pa fath?		
pa faint?	a gywesgir i	*faint?*
pa waeth?		
pa ryw?		

Dilynir y ffurfiau gofynnol gan y geiryn *y*(*r*) mewn ysgrifennu ffurfiol; digwydd *y* o flaen cytsain, *yr* o flaen llafariad:

Pryd *y bydd y bws yn cyrraedd?*
Sut *y mae'r plant?*
Pam *yr wyt ti mor drist?*
Pa fodd *y cwympodd y cedyrn?*
Holodd ***sut*** *yr oedd y plant?*
Ble *y bydd hi'n aros amdanaf i?*

Collir y geiryn yn gyffredin mewn ysgrifennu llai ffurfiol.

Ar lafar ac mewn ysgrifennu anffurfiol gellir sylweddoli *ble*? gan *lle*?:
Lle mae'r bwyd?

Dan yr un amgylchiadau gellir dilyn *pam*? gan *bod*:
Pam bod cynifer am ffoi?
Pam bod eira yn wyn?

64 *Arddodiaid*

Yn draddodiadol dywedir bod **arddodiad** yn cyfleu perthynas ystyr rhwng gair ac enw neu ragenw dilynol, gan gyfeirio'n gyffredin at safle neu le neu ddigwyddiad neu amser:

Eisteddodd ***ar*** *y wal*
Cododd ***am*** *saith o'r gloch*
Gorweddodd ***yn*** *y mwd*
Ysgubwyd y briwsion ***dan*** *y bwrdd*
Bu'n gweithio ***gyda*** *ni*

Rhai o nodweddion arddodiad

❒ Mae rhai arddodiaid yn ffurfdroi i ddynodi rhif a pherson (a chenedl yn ogystal yn y 3ydd unigol):

ataf, atat, ato, ati, atom, atoch, atynt
hebof, hebot, hebddo, hebddi, hebom, heboch, hebddynt
ynof, ynot, ynddo, ynddi, ynom, ynoch, ynddynt
gennyf, gennyt, ganddo, ganddi, gennym, gennych, ganddynt

Gelwir y rhain yn **arddodiaid rhediadol**, er nad oes rhaid iddynt ffurfdroi ar gyfer dynodi person bob amser:

at *Lanybydder,* ***heb*** *gwmni,* ***dan*** *gwmwl,* ***yn*** *y dafarn*

Mae'r dosbarth hwn o arddodiaid yn cynnwys nid yn unig arddodiaid rhediadol syml (gw. 65) megis *heb*, *yn*, ond hefyd arddodiaid rhediadol cyfansawdd, er enghraifft,

i mewn i (*i mewn iddo*), *oddi wrth* (*oddi wrthym*)

❒ Mae dosbarth arall o arddodiaid nad ydynt yn ffurfdroi; fe'u gelwir yn **arddodiaid cystrawennol** (gw. 66). Er enghraifft,

â, achos, eithr, megis, fel, na, gyda, efo, ger,
ers, wedi, erbyn, bwy, tua, nes, cyn, mewn,
oddieithr, oddigerth, ymhen

❐ Mae'n gyffredin defnyddio ymadroddion arddodiadol (gw. 18, 55) yn adferfol yn y Gymraeg:

Gwelais hwynt ***yn y parc.***
Yr oedd y ferch ***dan y car.***
Rhedais ***yn gyflym****.*
Neidiodd ***dros y wal****.*

> Gall ymadrodd arddodiadol weithredu'n ansoddeiriol yn ogystal:
>
> *Afalau* ***wedi pydru*** *oedd yn y gasgen.*
> *Merch* ***ar frys*** *yw Siân.*
> *Llanc* ***heb gariad*** *yw Gwilym.*

Gelwir yr olyniad a fydd yn dilyn yr arddodiad yn **ddibeniad**; sylweddolir y dibeniad gan ymadrodd enwol (gw. 31), rhagenw neu derfyniad sy'n cyfleu'r elfen ragenwol:

dan ***y bont***
gyda ***Marged***
dros ***y blodau***
gyda ***hi***
heblaw ***ef***
*heb****of***
*at****i***

Gall *â, achos, eithr, megis, fel, na, gyda, efo, ger,* ddewis naill ai ddibeniad rhagenwol neu ddibeniad enwol.

Dibeniad enwol yn unig a ddewisir gan *ers, wedi, erbyn, bwy, tua, nes, cyn, mewn, oddieithr, oddigerth, ymhen.*

> Gall *bwy* ddewis *gilydd* yn unig yn ddibeniad:
>
> *Gwyliais hwynt am fisoedd bwy gilydd.*

❐ Gall cymal o fath arbennig gael ei gyflwyno gan arddodiad yn ogystal (gw. 77).

❐ Ceir, yn ogystal, nifer o ffurfiau arddodiadol sy'n gyfuniad o arddodiad + enw (gw. 67). Er enghraifft,

o flaen, wrth ochr, ar draws, ar ben
o flaen *y car*
wrth ochr *fy ngwraig*
ar draws *yr heol*
ar ben *y wal*

65 *Arddodiaid rhediadol*

Mae'r dosbarthiadau isod o arddodiaid syml (sef arddodiaid sy'n cynnwys un gair yn unig) ac arddodiaid cyfansawdd (sef arddodiaid sy'n cynnwys mwy nag un gair) yn ffurfdroi i ddynodi person (a chenedl yn ogystal, yn y 3ydd person unigol).

I *am, ar, oddi ar, at, hyd at, tuag at, dan/tan/o dan*

II *heb, rhag, rhwng, yn, o, tros/dros, trwy/drwy, er*, (*hyd* yn y 3ydd unigol a lluosog yn unig)

III *gan, wrth*

IV *i*

Arddodiad	Bôn	Terfyniad	
		Unigol	Lluosog
ar	*arn-*	1 *-af*	*-om*
oddi ar	*oddi arn-*	2 *-at*	*-och*
at	*at-*	3 *-o* (gwr.)	*-ynt*
tuag at	*tuag at-*	*-i* (ben.)	
hyd at	*hyd at-*		
am	*amdan-*		
dan	*dan-*		
rhwng	*rhyng(dd)-*	1 *-of*	*om*
rhag	*rhag(dd)-*	2 *-ot*	*-och*
er	*er(dd)-*	3 *-o* (gwr.)	*-ynt*
heb	*heb(dd)-*	*-i* (ben.)	
yn	*yn(dd)-*		

❒ Bydd *rhwng, rhag, er, heb, yn*, yn dewis y bonau *rhyngdd-, rhagdd-, erdd-, hebdd-, yndd-*, ar gyfer y 3ydd person unigol a lluosog.

❒ Bydd *trwy/drwy* yn dewis y bôn *trw-/drw-*ar gyfer y personau 1af ac 2il unigol a lluosog, ond yn dewis y bôn *trwydd-/drwydd-* ar gyfer y 3ydd unigol a lluosog: *trwof, trwot, trwyddo, trwyddi, trwom, trwoch, trwyddynt.*

❒ Bydd *tros/dros* yn dewis y bôn *trost-/drost-*, ar gyfer y 3ydd lluosog: *trosof, trosot, trosto, trosti, trosom, trosoch, trostynt.*

❒ Bydd *o* yn dewis y bôn *ohon-* : *ohonof, ohonot, ohono, ohoni, ohonom, ohonoch, ohonynt.*

❒ Ar gyfer 3ydd unigol a lluosog *hyd* yn unig y ceir ffurfiau rhediadol: *ar hyd-ddo, ar hyd-ddi, ar hyd-ddynt* (ond gw. 67).

gan	*genn-*	1	*-yf*	*-ym*
		2	*-yt*	*-ych*
	gandd-	3	*-o* (gwr.)	*-ynt*
			-i (ben.)	
wrth	*wrth-*	1	*-yf*	*-ym*
		2	*-yt*	*-ych*
		3	*-o* (gwr.)	*-ynt*
			-i (ben.)	

❒ Gellir dewis y ffurf *gen*, ynghyd â'r rhagenw ôl (gw. 48) priodol ar gyfer y personau 1af ac 2il unigol, ac y mae hynny'n dderbyniol ac eithrio mewn cywair tra ffurfiol: *gen i* am *gennyf, gen ti* am *gennyt.*

Ei derfyniad yw dibeniad arddodiad rhediadol a gellir ategu dibeniad o'r fath gan ragenw ategol:

ataf i, atat ti, ato ef, ati hi, atom ni, atoch chi, atynt hwy

Mae'r addodiad *i* yn afreolaidd a cheir olddodiaid ffurfdroadol yn y 3ydd person yn unig:

	Unigol	Lluosog
1	*im, imi, i mi*	*in, inni, i ni*
2	*it, iti, i ti*	*ichwi, i chwi, ichi, i chi*
3	*iddo* (gwr.)	*iddynt*
	iddi (ben.)	

Yn *iddo, iddi, iddynt*, mae'r pwyslais yn disgyn ar y goben.
Pan ddymunir pwysleisio'r rhagenw, ysgrifennir yr arddodiad a'r rhagenw ar wahan:

Gwell inni fynd	dibwyslais
Gwell i ni fynd	pwysleisiedig
Gwell ichi wrando	dibwyslais
Gwell i chi wrando	pwysleisiedig

Ceir llu o amrywiadau tafodieithol. Er enghraifft, ar lafar yn rhannau o ogledd Cymru sylweddolir rhediad yr arddodiad *yn*:

yna, ynat, yno, yni, ynon, ynoch, ynyn.

Ar lafar ac mewn ysgrifennu anffurfiol gellir sylweddoli *-m* gan *-n.*:

amdanon am *amdanom*, *hebddon* am *hebddom* etc.

Ni cheir *-t* yn y 3ydd lluosog mewn llafar naturiol ond y mae'n nodweddu'r cywair llenyddol safonol:

arnyn am *arnynt*, *iddyn* am *iddynt* etc.

Nodir ffurfiau rhediadol yr arddodiaid ynghyd ag amryw ffurfiau tafodieithol rhanbarthol yn *Gramadeg Cymraeg* **363-366**.

66 Arddodiaid cystrawennol

Nid yw **arddodiaid cystrawennol** yn ffurfdroi. Mae *â, gyda, efo, wedi, ger, ers, fel, cyn, erbyn, mewn, gyferbyn â, tua, ynghyd â,* yn arddodiaid cystrawennol (gw. 64).

Gall pob arddodiad cystrawennol ddigwydd o flaen enw:

***gyda** Gwilym*
***gyferbyn â** Dafydd*
***ger** Llanllwni*
***erbyn** saith*
***ers** hydoedd*
***cyn** cinio*
***wedi** te*
***tua** chwech*
***mewn** gwesty*

Gall rhai arddodiaid cystrawennol (gw. 64) ddigwydd, yn ogystal, o flaen rhagenw personol annibynnol (gw. 48):

***gyda** ni*
***efo** chi*
***gyferbyn â** nhw*
***fel** chi*
***ynghyd â** ni*

Er enghraifft,

*Mae'n eistedd **fel** delw.*
*Bydd hi'n byw **gyferbyn â**'r capel.*
*Daeth i fwyta **gyda** ni amser cinio.*
*Aethant i aros **mewn** carafan ar faes yr eisteddfod.*
*Bydd y bws yn gadael **tua** chwech.*
*Roedd John wedi cysgu **cyn** swper.*

67 Arddodiaid cyfansawdd sy'n gyfuniad o arddodiad + enw

Mae nifer o arddodiaid sy'n gyfuniad o arddodiad + enw, er enghraifft,

> *o flaen, wrth ochr, am ben, ar ben, ar draws, ymhen, gerbron, ymysg, ar bwys, ar hyd, o achos, o flaen, o gylch, yn ymyl, dros ben, rhag bron, yn ôl.*

Weithiau gelwir y rhain yn **arddodiaid enwol**. Gall yr holl arddodiaid uchod ragflaenu ymadrodd enwol (gw. 31):

> ***o flaen*** y drws
> ***wrth ymyl*** dibyn serth
> ***ar ben*** ein bwrdd
> ***ar draws*** gwlad
> ***ymhen*** dwy awr
> ***gerbron*** llys
> ***ar bwys*** ei fam
> ***ar hyd*** strydoedd y dref
> ***yn ymyl*** y llyfrau

Mewn cyfuniad sy'n cynnwys rhagenw (gw. 47, 48), sut bynnag, y mae'r gystrawen yn wahanol.

Pan ddigwydd yr arddodiad *o* yn elfen gyntaf arddodiad cyfansawdd, gellir rhagenw mewnol rhwng y ddwy elfen:

> *o'm blaen*
> *o'i hachos*
> *o'u plegid*
> *o'ch cylch*
> *o'i amgylch*

Pan ddigwydd arddodiad arall yn elfen gyntaf, rhaid rhoi rhagenw blaen rhwng y ddwy elfen:

ar fy ngwarthaf
wrth fy ochr
ar dy ben
ar dy hyd
rhag eich bron
ar eu pwys

Mae'r arddodiad *heblaw* yn cynnwys cyfuniad o arddodiad (sef *heb*) + enw (sef *llaw*). Ar un adeg yn hanes yr iaith gweithredai fel arddodiad enwol (*heb fy llaw* etc.) ond datblygodd bellach yn arddodiad cystrawennol (*heblaw John*, *heblaw chi*).

Ceir *yn* yn elfen gyntaf amryw arddodiaid cyfansawdd:

yn ôl	*yn dy ôl*
yn ymyl	*yn fy ymyl*

Cyfuniad o arddodiad + enw yw'r arddodiaid cyfansawdd *islaw*, *uwchlaw*. Ni ellir dibeniad rhagenwol i *islaw, uwchlaw*:

islaw'r ffin,
uwchlaw'r cymylau

Gellir ychwanegu'r arddodiad rhediadol *i* at *islaw*, *uwchlaw* er mwyn dangos rhif a pherson:

Islaw iddi gallai weld y dyffryn.
Dringodd yr awyren uwchlaw iddynt.

68 *Yn a Mewn*

Defnyddir *mewn* pan yw'r ffurf sy'n dilyn yn amhenodol; *yn* a ddewisir pan yw'r enw'n benodol.

Mae ffurf yn benodol

- ❐ pan fo bannod neu ragenw blaen (gw. 48) yn ei ragflaenu
- ❐ pan fo bannod neu ragenw blaen neu enw priod yn rhan o gyfluniad y genidol meddiannol pendant (gw. 41)
- ❐ pan fo'n enw priod (gw. 33)
- ❐ pan fo'r ansoddair rhifol *pob* yn rhagflaenu

amhenodol	penodol
mewn tŷ	*yn y tŷ*
mewn gardd	*yn fy ngardd*
mewn ardal ddifreintiedig	*yn yr ardaloedd difreintiedig*
mewn gwlad dramor	*yn Sweden*
mewn cwpwrdd	*ym mha gwpwrdd*
mewn pen	*ym mhob pen*
mewn pig	*ym mhig y tebot*
mewn diwrnod	*ym mrig y nos*
mewn het	*yn het fy ngwraig*
mewn poced	*ym mhoced ei got*
mewn prifysgol	*ym Mhrifysgol Cymru*
mewn tref	*yn Llanbedr Pont Steffan*
mewn blodau	*ym mlodau ei ddyddiau*
mewn arch	*yn ei arch*
mewn cilfach	*yng nghilfachau'r cof*

Try *yn* yn *ym* o flaen *m-* ac o flaen *mh-*, ac yn *yng* o flaen *ng-* ac o flaen *ngh-*.

Ceir gwahaniaeth ystyr rhwng *yng ngharchar* sef 'wedi ei garcharu' ac *mewn carchar* lle y mae *carchar* yn enw amhendol.

Saif *yn tŷ, yn gwely, yn Gymraeg, yn tân* am *yn y tŷ, yn y gwely, yn y Gymraeg, yn y tân.*

Fel rheol defnyddir *yn* yn hytrach na *mewn* gyda *paradwys, tragwyddoldeb, angau, uffern, gorsedd*: *ym mharadwys, yn nhragwyddoldeb, yn angau, ei enw yng ngorsedd.*

Bydd y rhagenwau gofynnol yn patrymu fel enwau pendant:

amhenodol	penodol
mewn blwyddyn	*Ym mha flwyddyn?*
	Ym mhwy yr ymddiriedaf?

69 Â, gan, gyda

Yn gyffredinol dywedir bod yr arddodiad *â* yn dynodi offeryn, yr arddodiad *gyda* yn dynodi cwmni, a'r arddodiad *gan* yn cyfeirio at y gweithredydd neu'r cyfrwng:

Torrodd John y gacen ***â*** *chyllell finiog.*
Talwyd am y nwyddau ***â*** *siec.*
Aeth John i'r dref ***gyda****'i fam.*
Mae Gwilym yn byw ***gyda****'i chwaer.*
Trefnwyd y daith ***gan*** *John.*
Drama ***gan*** *Saunders Lewis sy'n cael ei pherfformio.*

Nid yw hyn, sut bynnag, yn ddisgrifiad manwl na digonol o swyddogaeth yr arddodiaid hyn. Anelir at ddisgrifiad manylach o'r defnydd mwyaf cyffredin a wneir o'r arddodiaid hyn yn adrannau 70-72.

> Yn nhafodieithoedd de Cymru tuedda *gyda* ddisodli *â* a *gan* wrth gyfeirio at briodoleddau neu feddiant. Yn nhafodieithoedd gogledd Cymru mae *efo* yn gynhyrchiol.

70 Â, ag

Dewisir *â* o flaen cytsain, *ag* o flaen llafariad. Dilynir *â* gan y treiglad llaes (gw. Atodiad 1).

Digwydd yr arddodiad,

❒ Yn dilyn berfau'n cynnwys y rhagddodiaid *ym-, cyf-*, (*cyff-*), *cyd-*, (*cyt-*). Er enghraifft:

ymweld â	*ymdrin â*
ymadael â	*ymhel â*
ymwneud â	*ymddiddan â*
ymryson â	*ymyrryd â*
cyfarfod â	*cyffwrdd â*
cyfamodi â	*cyfeillachu â*
cytuno â	*cyd-dynnu â*
cydymffurfio â	*cydweithio â*

❒ Yn dilyn berfau:

peidio â	*llenwi â*
siarad â	*bwydo â*
dyweddïo â	*tewi â*
ffarwelio â	*priodi â*
dod â	*dadlau â*
methu â	*mynd â*
arfer â	

❒ Gydag adferfau i ddynodi symud:

I ffwrdd â nhw!
Bant â chi!
I fyny â ni!

❒ O flaen enw offeryn i ddynodi sut y cyflawnwyd gweithred:

Torrodd flaen ei fys â chyllell finiog.
Sychodd ei dalcen â blaen ei lawes.
Talwyd am ei nwyddau â siec.

Yn nhafodieithoedd de Cymru ceir arddodiad *acha* i ddynodi'r ystyr hon:

Mae e wedi mund acha beic

Bydd e'n hollti'r coed acha bwyell

❒ I ddynodi meddiant neu berchnogaeth:

y ferch â'r wisg liwgar
y bwthyn â'r to gwellt

❒ I ddynodi cyflwr neu stad:

brenhinoedd â bodiau eu dwylo wedi eu torri i ffwrdd

❒ Yn dilyn ansoddair gradd gyfartal (gw. 50):

Y mae'r dillad cyn wynned â'r eira.
Yr oedd cyn ddued â'r frân.

71 Gan

Yn dilyn y cysylltair *a* gellir adfer a threiglo'r gytsain gysefin wreiddiol hy. gellir adfer y ffurf *can*:

gan y tân a chan y mwg
Ymddangosodd cwningen a chanddi glustiau gwyn.

Defnyddir yr arddodiad:

❐ Yn dilyn berfau:

cymryd gan	*prynu gan*
cael gan	*clywed gan*
benthyca gan	*ceisio gan*

❐ Gyda ffurfiau'r ferf *bod* i ddynodi meddiant neu berchnogaeth:

Mae car gwyn ganddi.
Roedd gen i gariad.
Nid oes llawer o amynedd ganddi.

❐ Yn dilyn ansoddair i ddynodi teimlad neu i fynegi barn:

Mae'n flin gennyf glywed/Blin gennyf glywed.
Bydd yn edifar ganddo ddweud hynny.
Roedd yn dda gen i dderbyn y gwahoddiad.
Mae'n well ganddo siarad plaen.

❐ O flaen enw sy'n dynodi'r gweithredydd:

Canwyd yr anthem gan gôr yr eglwys.
Trefnwyd y gyngerdd gan John Williams.
Cyhoeddwyd y nofel gan Wasg Gomer.

❐ O flaen berfenw (gw. 21) i ddynodi'r ystyr 'oherwydd':

Gan fod yr haul yn gryf, gwisgais fy sbectol haul.
Rwy'n gadael yn gynnar gan fod y tywydd yn gwaethygu.

❐ O flaen berfenw mewn cyfluniad is-draethiad neu rangymeriad (gw. §3):

Aeth allan gan dynnu'r drws ar ei ôl.
Rhedodd i'r orsaf gan obeithio dal y trên.

❐ I ddynodi'r ystyr *oddi wrth*:

A ddysgaist ti lawer ganddo?
A gefaist ti lythyr gan John?

❐ Mewn ebychiad:

Y cythraul ganddo!

❐ Mewn idiomau:

gan amlaf = fel rheol
Maen nhw yma mewn pryd gan amlaf.

gan bwyll = yn araf ac yn ofalus
Roedd yn cerdded gan bwyll i fyny'r grisiau.
Gan bwyll, mae ffos ddofn o'ch blaen.

gan mwyaf = fel arfer
Merched sy'n mynychu capel gan mwyaf.

72 *Gyda, gydag*

Yn dilyn y cysylltair *a* gellir adfer a threiglo'r gytsain gysefin wreiddiol h.y. gellir adfer y ffurf *cyda(g)*:

a chydag amser daeth i werthfawrogi byw yn y wlad

Dewisir *gydag* o flaen llafariad, *gyda* o flaen cytsain. Dilynir *gyda* gan y treiglad llaes (gw. Atodiad 1).

Defnyddir yr arddodiad,

❒ I gyfleu'r ystyr *ynghyd â, efo*:

Maen nhw am ddod gyda ni i Lundain.

❒ I gyfleu'r ystyr *ar hyd, yn gyfochrog â*:

Bu'n cerdded am oriau gyda glan yr afon.

❒ I gyfleu'r ystyr *gyda chymorth*:

A gyda Duw mae pob peth yn bosibl.

❒ I gyfleu'r ystyr *ymhlith, yn un o* o flaen gradd eithaf yr ansoddair:

Mae'r dafarn hon gyda'r mwyaf swnllyd yn yr ardal.
Roedd yn tyfu blodau gyda'r mwyaf lliwgar yn y pentref.

❒ Mewn idiomau:

gyda dim = ar yr esgus lleiaf
Gyda dim, fe awn i Strade brynhawn Sadwrn.

gyda'r troad = yn syth
Byddaf yn dy ateb gyda'r troad.

gyda gofal = yn ofalus
Yn y nos rhaid gyrru gyda gofal.

gyda'i gilydd = ynghyd
Aethant i'r dref gyda'i gilydd.

gyda hyn = cyn hir
Paid ag oedi, mae'r cadeirydd am gychwyn y cyfarfod gyda hyn.

gyda'r nos/gyda'r hwyr = yn gynnar yn y nos
Wedi diwrnod caled o waith, byddai'n hoffi ymlacio gyda'r nos.

gyda'r dydd = ar doriad gwawr
Mae'n bwriadu codi gyda'r dydd er mwyn cyrraedd ei waith yn gynnar.

gyda hynny = ar yr union adeg honno
Yr oedd ar fin codi, ond gyda hynny sylweddolodd fod ei goesau wedi gwanhau.

= yn ogystal â hynny
Mae'n sgrymiwr cadarn a chyda hynny'n gyflym ar hyd y cae.

73 *Brawddegau cyfansawdd*

Y mae'r rhan fwyaf o'r brawddegau enghreifftiol a nodwyd hyd yma yn y gyfrol hon yn cynnwys un cymal (gw. 2): maent yn **frawddegau syml**. Mae brawddegau y gellir eu dadansoddi'n ddiffwdan yn fwy nag un cymal yn **frawddegau cyfansawdd**. Gellir dau fath o frawddeg gyfansawdd: brawddeg **gydradd** (fe'i gelwir, yn ogystal, yn frawddeg **gysylltiol**) a brawddeg **gymhleth**.

Brawddegau cydradd

Mewn brawddeg gydradd, cysylltir y cymalau gan **gysyllteiriau cydradd** megis *a(c)*, *neu, felly, ond* (gw. 74). Gall y naill gymal a'r llall sefyll ar ei ben ei hun yn ddwy frawddeg (y naill a'r llall ohonynt yn **gymalau annibynnol** neu'n **brif gymalau**).

Brawddegau syml: *Rwy'n hoffi'r gŵr.*
Nid wyf yn hoffi ei wraig.
Brawddeg gyfansawdd: *Rwy'n hoffi'r gŵr ond nid wyf yn hoffi ei wraig.*

I egluro ar ffurf amlinell:

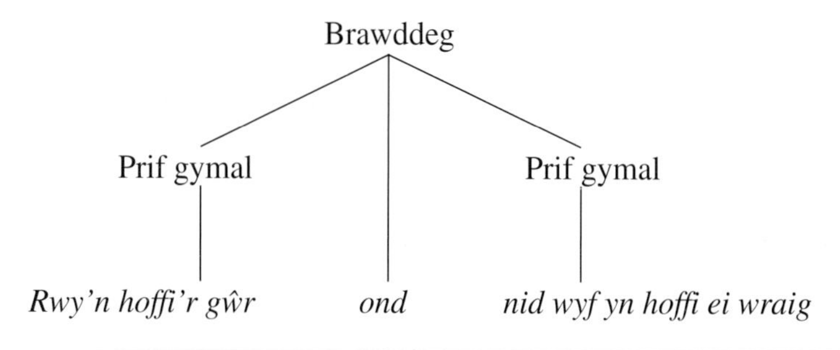

Mae'n bosibl defnyddio berfenw (gw. 21) yn lle berf rediadol yn yr ail gymal (ac ym mhob cymal wedi'r cyntaf) pan fo'r un goddrych i bob cymal:

Daeth John i'r ystafell a ***thynnu*** *ei esgidiau.*
Bwytaodd ei swper a ***mynd*** *i'r gwely a* ***chysgu****'n drwm.*
Ni chlywodd sŵn na ***gweld*** *y lladron.*

Deil y cymalau yn **gydradd** â'i gilydd.

Brawddegau cymhleth

Mewn brawddeg gymhleth, cysylltir y cymalau gan gysyllteiriau isradd megis *oherwydd, pan, o achos* (gw. 75). Isod y mae un o'r cymalau (sef y **cymal isradd**) yn isradd i'r llall (sef y **prif gymal**) h.y. y mae'r cymal isradd yn ddibynnol ar y prif gymal.

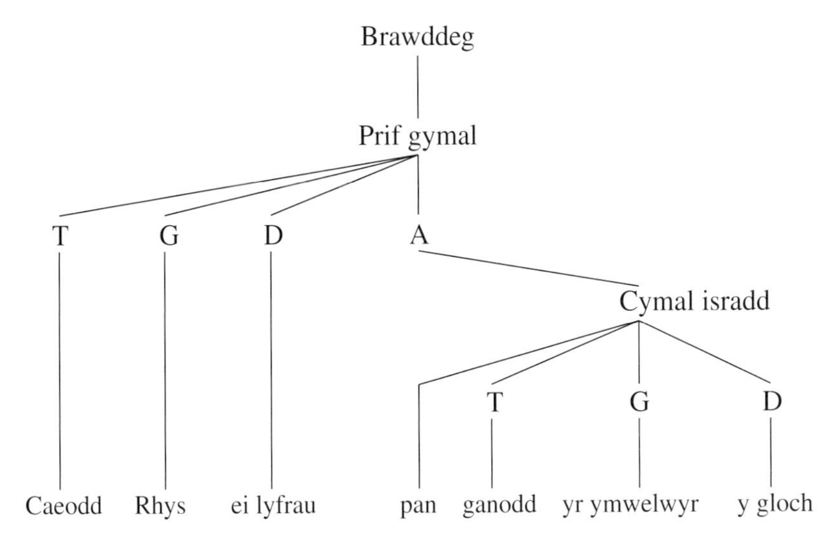

Ni all y cymal isradd sefyll ar ei ben ei hun. Rhaid cydio *pan ganodd yr ymwelwyr y gloch* wrth gymal arall.

Cyfluniadau cyfansawdd

Gellir canfod amrywiaeth o gyfluniadau yn nythu o fewn brawddegau cydradd a chymhleth.

❐ Mewn brawddeg sy'n cynnwys amryw gymalau cydradd megis, *Gwelais y fuwch a gwelais y llo a gwelais y gaseg a gwelais yr ebol* ......y mae'r dadansoddiad yn ddiffwdan:

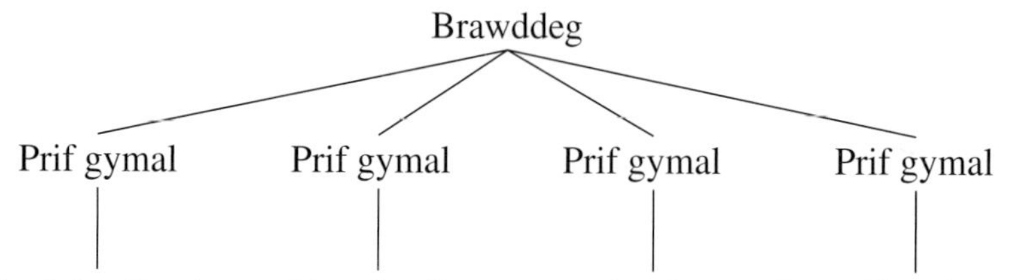

❒ Mewn brawddeg sy'n cynnwys amryw gymalau isradd rhaid gofalu cadw'r gwahanol 'lefelau' isradd ar wahan. Yn y frawddeg isod, er enghraifft, noda'r cymal isradd cyntaf yr hyn a gredai'r siaradwr ('Byddant yn gadael pan ddaw'r cwch'); dyma ddibeniad (gw. 3, 17) y ferf *credaf*. Mae'r ail gymal isradd yn nodi pryd y byddant yn gadael ('pan ddaw'r cwch'); dyma elfen adferfol (gw. 3, 53) sy'n goleddfu'r ferf *gadael*:

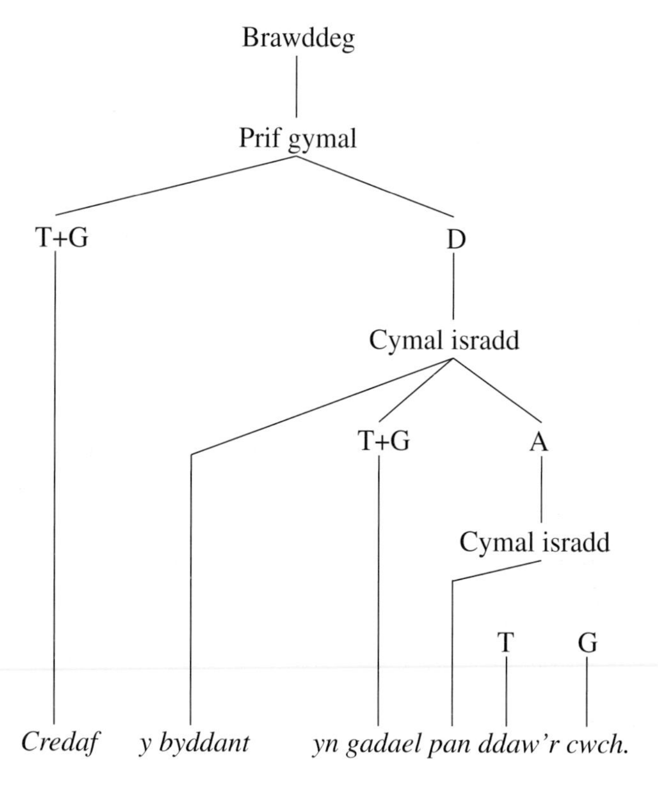

74 *Cysyllteiriau cydradd*

Y mae cysyllteiriau cydradd yn cysylltu dau neu ragor o unedau neu elfennau sy'n meddu ar yr un statws gramadegol: dau neu ragor o eiriau neu o gymalau neu o frawddegau. Cysyllteiriau cyffredin yw *a/ac*, *na/nac*, *neu*, *eithr*, *ond*, *namyn*, *ys*:

> *Gwelais gath* ***a*** *chi.*
> *Prynais afalau melys* ***a*** *choch.*
> *Aeth Iolo i Lundain* ***ond*** *aeth John i Lerpwl.*
> *Ni welodd* ***ond*** *gwrandawodd.*
> *Edrychodd* ***eithr*** *ni welodd.*
> *Ti* ***a*** *chi.*
> *Nid ni* ***ond*** *nhw.*
> *Saethwyd cant* ***namyn*** *un.*
> *Nid oedd yn enwog am ddim* ***namyn*** *blerwch.*
> *Ni bydd gwynt* ***nac*** *oerfel* ***na*** *therfysg* ***na*** *phla.*
> *Daeth y gwanwyn* ***ac*** *fe ddaw'r haf.*
> *Mae'n fore* ***a*** *daw'n brynhawn.*

Dilynir y cysyllteiriau cydradd *a, na* gan y treiglad llaes (gw. Atodiad 1).

Treiglir enwau, ansoddeiriau a berfenwau'n feddal yn dilyn y cysylltair *neu*.

Mewn rhyddiaith feiblaidd mae'n gyffredin cael *a*(*c*), *neu*, ar ddechrau cyfres o frawddegau cydradd.

Bydd y cysylltair *ys* yn rhagflaenu ffurfiau syml y berfau *dweud*, *galw*; mewn cymal gofynnol, bydd yn rhagflaenu 1af unigol presennol mynegol *gwybod*:

> ***Ys*** *dywedwyd, prif bwrpas y cyfarfod oedd sicrhau lles y myfyrwyr.*
> *Holed pawb ei hun,* ***ys*** *dywed y gair.*
> *Cymwynaswr o ddyn oedd John Jones – Sioni Waun Fawr,* ***ys*** *gelwid ef gan ei gymdogion.*
> *Beth a ddaw nesaf,* ***ys*** *gwn i?*
> ***Ys*** *gwn i a ddaw hi heibio heno?*

Mewn ysgrifennu anffurfiol cyll y llafariad yn bur gyffredin o flaen *gwn* a chlymir yr *s* sy'n weddill wrth y ferf ddilynol:

Sgwn i pwy sy'n pregethu nos Sul?
Pwy a gaiff hi'r tro nesaf, sgwn i?

Gall rhai cysyllteiriau gyd-ddigwydd â chysylltair arall, er enghraifft, *na(c) ... na(c), nid yn unig ... ond hefyd, naill ai ... neu, nid ... ond*:

Ni fydd na gwynt cryf na glaw trwm.
Ceir nid yn unig wynt cryf ond hefyd law trwm.
Cafwyd naill ai wynt cryf neu law trwm.
Nid o Aberaeron y maent yn hwylio ond o'r Cei.

Dewis a, ac, na, nac

Ceir *a* o flaen cytseiniaid, *ac* o flaen llafariaid a'r negyddion *ni, na*; *mor*; *felly*; *fel*; *megis*; *mwyach*; *mewn*; *mai*; *meddaf*; *mae*; *maent*; *sydd*; y geirynnau rhagferfol *mi, fe*; i gytsain:

dŵr a halen
ceffyl a chart
gwlad ac iaith
fe ganodd ac fe ganodd
mewn cyfyngder ac mewn trybini

Bydd *na, nac* yn dewis cyd-destun cyffelyb ond ni cheir *na(c)* o flaen y negyddion *ni, na*.

75 *Cysyllteiriau isradd*

Nid yr un statws gramadegol sydd i'r unedau a gysylltir gan gysylltair isradd. Mewn brawddeg gymhleth (gw. 73), y mae un cymal (a elwir yn **gymal isradd**) yn ramadegol ddibynnol ar gymal arall (sef y **prif gymal**). Cysylltair isradd a fydd yn nodi'r ddibyniaeth honno:

> *Bydd yn codi, **pan** ddaw'r papur.*
> ***Pe** gwnâi gynnig teg, câi'r ceffyl.*

Mae cysyllteiriau isradd yn ymrannu'n ddau ddosbarth:

❒ Cysyllteiriau megis *pan, pe, os, tra* a ddilynir mewn cymal cadarnhaol yn uniongyrchol gan y ferf:

> ***Pan** oeddwn yn camu i'r gawod, canodd y ffôn.*
> *Bydd y dyfodol yn ddiogel **tra** llwydda'r Blaid.*
> ***Os** oes annwyd arnoch chi, byddai'n well ichi gael diodydd twym.*
> *Byddwn wrth fy modd, **pe** câi Cymru fuddugoliaeth yng Nghwpan y Byd.*

Mewn cymal negyddol bydd y negydd *na*(*d*) yn dilyn y cysylltair: ceir *na* o flaen cytsain, *nad* o flaen llafariad:

> ***Pan na** chafodd ateb, gwylltiodd.*
> *Diflannodd trwy'r drws **pan nad** oedd neb yn gwylio.*
> *Byddwn yn siomedig **pe na** bai Cymru'n curo Lloegr ar y Maes Cenedlaethol.*
> ***Os nad** ei di i dy wely'n gynnar, byddi'n methu'n lân â chodi.*

Dilynir *na* gan y treiglad llaes (gw. Atodiad 1).

Mewn cywair tra ffurfiol disodlir *os na* gan *oni*(*d*): ceir *oni* o flaen cytsain, *onid* o flaen llafariad: *Oni fyddwch yn ildio, cewch eich goresgyn.* *Onid oedd yn cytuno i'w gefnogi, collai ei swydd.* *Oni chodwch, cewch niwed.* Dilynir *oni* gan dreiglad meddal o *g, b, d, m, ll, rh*. Dilynir *oni* gan dreiglad llaes o *c, p, t*. (gw. Atodiad 1).

❐ Cysyllteiriau megis *lle, cyn, erbyn, hyd nes, gan, am, modd, fel, er* a ddilynir, fel rheol yn yr iaith lenyddol, mewn cymal cadarnhaol, gan eiryn berfol, sef *y* + berf y cymal:

> *Teflais y llestri ar draws yr ystafell,* ***nes*** *yr oedd y cathod yn sgrialu am loches dan y cadeiriau.*
> ***Er*** *y byddai'n gweiddi ar ei gŵr yn aml, nid oedd ef wedi achwyn am hynny erioed.*
> *Roedd Phil yn gwibio trwy'r bwlch,* ***lle*** *yr oedd Ray yn ei hyrddio ei hun at ei wrthwynebydd ac yn creu bwlch.*
> *Bydd hi wedi nosi,* ***erbyn*** *y bydd yr awyren wedi glanio.*
> ***Gan*** *y bydd hi wedi gwawrio, bydd y ffermwr wedi codi.*

Mewn cymal negyddol bydd y negydd *na*(*d*) yn dilyn y cysylltair: ceir *na* o flaen cytsain, *nad* o flaen llafariad:

> ***Gan nad*** *wyt ti am gychwyn nawr, gwell iti gysgu.*
> ***Er nad*** *oedd wedi eu gweld erioed, hwy oedd ei arwyr.*

Mae cysylltair megis *oherwydd* yn gallu digwydd fel cysylltair cydradd ac fel cysylltair isradd:

> *Mae Gwilym yma oherwydd gwelais ef a'i wraig gynnau.*
> *Nid yw Rhys wedi cyrraedd oherwydd nid oes bysiau ar y Sul.*

O flaen cymal negyddol gall ddigwydd fel cysylltair isradd:

> *Methwyd â'u cyfarfod oherwydd nad oedd amser ganddynt.*

76 *Os, pe, ped*

Cysyllteiriau amod yw *os, pe, ped*:

> ***Os** ydych yn gofidio amdani, ffoniwch i weld sut mae hi.*
> ***Os** wyt ti'n medru rheoli dosbarth o blant, mae gobaith iti.*
> *Byddai'n llai dymunol **ped** unid Sir Aberteifi a Sir Benfro.*
> ***Pe** baech yn gwirioneddol ofidio amdani, byddech wedi ffonio ati ers meitin.*

Fel rheol bydd **os** yn rhagflaenu'r ferf; ond pan ddymunir pwysleisio elfen ar wahan i'r ferf, bydd *os* yn rhagflaenu'r elfen y dymunir ei phwysleisio. Er enghraifft,

❒ pwysleisio rhagenw annibynnol

> ***Os** ef oedd yn ddieuog, pam na chafodd ei ryddhau.*
> ***Os** hyhi sy'n iawn, gallwn ddisgwyl cerydd.*

❒ pwysleisio enw

> ***Os** llyfr y cei di'n anrheg ganddo, cofia ofyn iddo ei lofnodi.*
> ***Os** tîm cryfa'r adran sydd yn eu hwynebu, cânt grasfa.*

❒ pwysleisio elfen adferfol

> ***Os** yn y de y bydd yr Eisteddfod eleni, bydd yn sicr o ddychwelyd i'r gogledd y flwyddyn nesaf.*
> ***Os** byth y gwela' i ti'n agos i'r tŷ yma eto, cei flas ar ferch y crydd.*
> ***Os** yn dy wely y byddi di, cei dy ddihuno'n hollol ddiseremoni.*

Ar lafar ac yn ysgrifenedig, ceir *mai* neu *taw* rhwng *os* a'r elfen y dymunir ei phwysleisio:

> *Os taw Llanelli yw prif ddinas rygbi Cymru, y Strade yw ei chalon.*
> *Os mai Wrecsam yw prif glwb pêl droed gogledd Cymru, y Cae Ras yw ei chalon.*
> *Os mai ef sy'n iawn cawn golled ddifrifol.*
> *Os mai'r llynedd yr aeth i'r Ffindir, bydd yn siwr o fynd i Norwy eleni.*

Ffurf negyddol *os* yw *oni*(*d*). Pan ddigwydd o flaen berf ceir *oni* o flaen cytsain, *onid* o flaen llafariad. Dilynir *oni* gan dreiglad meddal o *g, b, d, m, ll, rh,* a threiglad llaes o *c, p, t,* (gw. Atodiad 1). *Onid* a geir o flaen elfennau eraill:

__Oni__ wrandewch arnaf i, bydd yn edifar gennych.
__Oni__ chlywch chi'r gog eleni, byddwch yn sicr o gael newydd drwg.
__Onid__ tîm cryfaf yr adran a fydd yn eu hwynebu, dylent lwyddo'n hawdd.

Ar lafar ac mewn ysgrifennu llai ffurfiol gellir dewis *os na*(*d*) yn hytrach nag *oni*(*d*). Ceir *os na* o flaen cytsain, *os nad* o flaen llafariad. Dilynir *os na* gan dreiglad meddal o *g, b, d, m, ll, rh,* a threiglad llaes o *c, p. t*, (gw. Atodiad 1):

Ein gobaith, __os nad__ ein disgwyliad oedd darganfod perl newydd.
__Os na__ fydd wedi ei rhyddhau erbyn fore Llun, bydd rhaid aros tan fore Mercher.
__Os na__ chwyd y cymylau, ni bydd gwers hedfan.
__Os nad__ wyt ti'n barod i weithio'n galed, bydd hi'n anodd iti wneud bywoliaeth.

Bydd *os* yn cyflwyno cymalau amodol pan yw'r amod yn amod gwir ac os nad oes amheuaeth ynglŷn â'i wireddu. Bydd *pe, ped* yn cyflwyno cymalau amodol pan amheuir posibilrwydd cyflawni'r amod neu pan roddir amod er mwyn y ddadl. Ceir *pe* o flaen cytsain, *ped* o flaen llafariad:

__Pe__ dôi'r tîm hyfforddi i ofyn cyngor, fe ellid traethu gwirioneddau mawr.
__Ped__ enillai tîm Cymru Gwpan y Byd, gorfoleddwn.

Gall rhagenw mewnol (gw. 47, 48) ddilyn *pe*:

Awn, pe'm dewisid.

Digwydd *pe na*(*d*) mewn cymalau negyddol. Ceir *pe na* o flaen cytsain, *pe nad* o flaen llafariad. Dilynir *pe na* gan dreiglad meddal o *g, b, d, m, ll, rh,* a threiglad llaes o *c, p, t,* (gw. Atodiad 1):

Byddai'n rhyfedd __pe na__ ddeuai John heno.
Byddai'n dda gennyf __pe na__ ddywedaswn wrthynt am yr helynt.
__Pe na__ chaent gystadlu, sioment yn enbyd.

Pan gysylltir *pe* a'r ferf *bod*, ceir y ffurfiau isod. Nodir y ffurf dalfyredig ar ochr chwith y ddalen:

Amser Amherffaith

Unigol	Lluosog	Unigol	Lluosog
1 *pe bawn*	*pe baem*	*petawn*	*petaem*
2 *pe bait*	*pe baech*	*petaet*	*petaech*
3 *pe bai*	*pe baent*	*petai*	*petaent*

Amser Gorberffaith

Unigol	Lluosog	Unigol	Lluosog
1 *pe buaswn*	*pe buasem*	*petaswn*	*petasem*
2 *pe buasit*	*pe buasech*	*petasit*	*petasech*
3 *pe buasai*	*pe buasent*	*petasai*	*petasai*

Er enghraifft,

Byddai'n dda gen i petaech chi i gyd yn mynd i'r gwely.
Byddai'n hyfryd petai'n gallu dod atom am wythnos yn yr haf.
Petaech yn aros gyda ni, gallem fynd i bysgota bob dydd.
Petasai wedi cytuno i hynny, ni fuasai wedi cael anhawster.

Ar lafar cyll *pe* yn gyffredin a chlywir *tawn, tait, te/ta* etc. *taswn, tasit, tase/tasa* etc.

Mewn amryw dafodieithoedd defnyddir *os* fel cysylltair amodol cyffredinol ar draul *pe*, ac eithrio yn dilyn *fel* a *megis*:

Byddai'n dda gen i os bydden nhw'n diflannu.
Herciai fel petai wedi anafu ei goes.

77 *Cymalau adferfol*

Gelwir cymalau a gyflwynir gan y cysyllteiriau isradd a nodwyd yn 75 yn **gymalau adferfol**. Ceir amryw fathau o gymalau adferfol.

❒ Cymalau adferfol a gyflwynir gan y cysyllteiriau *pan, pe, os, tra, er pan* gw. 75. Treiglir y ffurf ferfol i'r feddal yn dilyn *pan*, *er pan*. Er enghraifft,

> *Trefnwn gyfarfod awyr agored,* ***os*** *bydd y tywydd yn ffafrïol.*
> *Awn i lan y môr,* ***pan*** *ddaw'n hindda.*
> *Ni chofiodd weld y fath olygfa* ***er pan*** *fu yno ddiwethaf.*
> *Yr oedd y fuddugoliaeth yn felys* ***tra*** *cofiai amdani.*

Trafodwyd y cysyllteiriau *os*, *pe*, *ped* eisoes yn 76, a chrynhoir y drafodaeth ar y cymalau a ddisgrifir isod yn y tabl a gynhwysir yn y bennod hon.

❒ Cymalau adferfol a gyflwynir gan arddodiad neu adferf megis, *lle, cyn, erbyn, hyd, gan, am, modd, fel, er,* gw. 75. Dilynir y rhain fel rheol yn yr iaith lenyddol gan gymal enwol (gw. 79, 80) a gyflwynir gan y cysylltair *y*(*r*). Ceir *y* o flaen cytsain, *yr* o flaen llafariad. Er enghraifft,

> *Cyrhaeddais y glwyd,* ***cyn*** *y llwyddodd Owain i'w hagor.*
> *Ni allai feio Rhys y tro hwn,* ***gan*** *y gwyddai i sicrwydd nad oedd y crwt ar fai.*
> *Mae wedi llwyddo'n anrhydeddus,* ***hyd*** *y gwn i.*
> *Cafodd gymaint o fraw,* ***fel*** *y penderfynodd beidio â mynd ar gyfyl y ci eto.*
> *Euthum i'w weld* ***cyn*** *yr ymadewais â'r wlad.*

❒ Cymalau adferfol yn cynnwys cyfluniad cymal enwol o fath *i* + goddrych + berfenw. Sylweddolir y goddrych gan enw neu derfyniad personol yr arddodiad *i*. Cyflwynir y cymal adferfol gan *ar ôl, er mwyn, ond*:

Er enghraifft,

Cyrhaeddodd y bws **ar ôl** *i'r teithwyr adael ar y trên.*
Aeth i hwylio **ar ôl** *imi ei siarsio i beidio.*
Arafodd y bws **er mwyn** *i'r plant gael cip ar y castell.*
Arafodd y bws **er mwyn** *iddynt gael cip ar y castell.*
Cawn aros am awr arall, **ond** *inni ymddwyn yn dda.*

❐ Cymalau adferfol sy'n cynnwys cyfluniad cymal enwol o fath *bod*. Cyflwynir y cymal adferfol gan *o ran, wrth, cyn, erbyn, gan, oherwydd, er, oblegid* etc:

Er enghraifft,

Gan *fod y tywydd wedi gwaethygu, nid aethom i hwylio.*
Am *fy mod wedi cyrraedd oedran pensiwn, byddaf yn ymddeol cyn hir.*
Am *fod Ieuan ar fin cyrraedd oedran pensiwn, bydd yn ymddeol cyn hir.*
Gwerthodd y tocynnau'n dda, **er** *eu bod dros ddecpunt yr un.*

Nid yw'r dewis o gystrawen a ganiateir i'r arddodiad neu'r adferf yn rhydd o bell ffordd; gellir crynhoi'r posibiliadau y gellir dewis ohonynt ar ffurf tabl:

Arddodiad/ Adferf	Cyfluniad o fath *bod*	Cyfluniad o fath *i* + berfenw	Cyfluniad o fath *y(r)*
ar ôl		√	
er mwyn		√	
ond		√	
hyd			√
lle			√
pryd (bynnag)			√
fel			√
megis			√
modd			√
ag			√
nag			√
o ran	√		

Arddodiad/ Adferf	Cyfluniad o fath *bod*	Cyfluniad o fath *i* + berfenw	Cyfluniad o fath *y*(*r*)
rhag	√	√	
wrth	√	√	
gyda(g)	√	√	
wedi		√	
cyn	√	√	√
erbyn	√	√	√
nes	√	√	√
hyd nes	√	√	√
tan	√	√	√
gan	√	√	√
am	√	√	√
oherwydd	√	√	√
oblegid	√	√	√
o achos	√	√	√
er	√	√	√
efallai	√	√	√
hwyrach	√	√	√

Er enghraifft,

Cododd o'r llawr cyn gynted ***ag y*** *gallai.*
Cododd, ***erbyn i*** *fws yr ysgol gyrraedd.*
Cododd, ***erbyn iddo*** *gyrraedd.*
Cododd, ***erbyn bod*** *y bws yn cyrraedd.*
Cododd, ***erbyn y*** *cyrhaeddodd y bws.*
Bydd di yno ***erbyn i****'r trên gyrraedd.*
Bydd di yno ***erbyn bod*** *y trên yn cyrraedd.*
Bydd di yno ***erbyn y*** *bydd y trên yn cyrraedd.*
Ni ddaliasom yr un pysgodyn, ***er inni*** *bysgota trwy'r nos.*
Er bod *John wedi pysgota drwy'r nos, ni ddaliodd bysgodyn.*
Er *ein* ***bod*** *wedi pysgota trwy'r nos, ni chawsom yr un pysgodyn.*
Er y *buom yn pysgota trwy'r nos, ni chafwyd pysgodyn.*

Negyddu

❒ Cyflwynir cymalau negyddol gan *na(d)*; ceir *na* o flaen cytsain, *nad* o flaen llafariad. Dilynir *na* gan dreiglad meddal o *g, b, d, m, ll, rh*, a threiglad llaes o *c, p, t,* (gw. Atodiad 1):

> *Nid oedd yn syndod imi, er* **na** *chlywais ddim am yr helynt.*
> *Gan* **nad** *wyt ti'n yrrwr cyflym, gwell iti gychwyn ar unwaith.*
> *Byddwn yn siomedig pe* **na** *sgorid yr un cais brynhawn Sadwrn.*
> *Hwy oedd ei arwyr, er* **na** *wyliai lawer o ffilmiau cowboi bellach.*

❒ Gall *peidio â, peidio ag* ragflaenu berfenw yn y cymal adferfol. Dilynir *â* gan y treiglad llaes (gw. Atodiad 1):

> *Cafodd dymor yng ngharchar am* **beidio â** *thalu dirwyon.*
> *Ni chawsom gosb am* **beidio ag** *aros.*

Ar lafar cyll *â* yn gyffredin: *Cafodd gosb am beidio aros.* Ni bydd y berfenw yn treiglo: *Cafodd ei gosbi am iddo beidio cytuno.*

78 *Yr ymadrodd annibynnol*

Cyflwynir yr ymadrodd annibynnol gan y cysylltair *a*(*c*) mewn swyddogaeth isradd; ceir *a* o flaen cytsain, *ac* o flaen llafariad. Y mae'r ymadrodd annibynnol yn gwbl annibynnol ar gystrawen y brif frawddeg y mae ynghlwm wrthi.

❐ Ymadrodd annibynnol o gyfluniad goddrych + *yn* traethiadol + enw neu ansoddair:

Yr oeddwn eisoes yn hen, ***a*** *minnau'n blentyn.*
Ac *yntau'n amlwg ddieuog, ni ddeallent pam yr oeddent am ei gosbi.*

❐ Ymadrodd annibynnol o gyfluniad goddrych + adferf/ymadrodd adferol:

A *minnau heb waith, ni fedrwn fforddio iro llaw y swyddogion.*

❐ Ymadrodd annibynnol o gyfluniad goddrych + ategydd + berfenw:

A *hithau'n ysgrifennu llythyr, holodd a oedd gan ei gŵr stamp.*
A *minnau wedi cael blas ar deithio, penderfynais brynu camera.*
A*'r haul newydd godi, manteisiwyd ar y cyfle i fynd am dro.*

79 *Cymalau enwol*

Gwelsom eisoes yn yr adran ar yr elfen ddibeniadol (gw. 17) fod cymal enwol yn gallu sylweddoli'r elfen D yn y cymal. Sylweddoli'r elfen D fel uned ailadrodd yw prif swyddogaeth y cymal enwol. Bydd y siaradwr yn ailadrodd yn y cymal rywbeth a ddywedwyd naill ai ganddo ef ei hun neu gan rywun arall, a hynny yn ei aralleiriad ei hun. Bydd amryw ieithyddion yn galw'r cymal enwol yn gymal ailadrodd oherwydd berfau (megis *dweud, meddwl, honni, credu, cytuno, gwybod, gobeithio*) sy'n dynodi 'gwybod' neu 'lefaru' neu 'ystyried' a ddewisir ar gyfer traethiedydd y prif gymal y mae'r cymal enwol yn sylweddoli D ynddo:

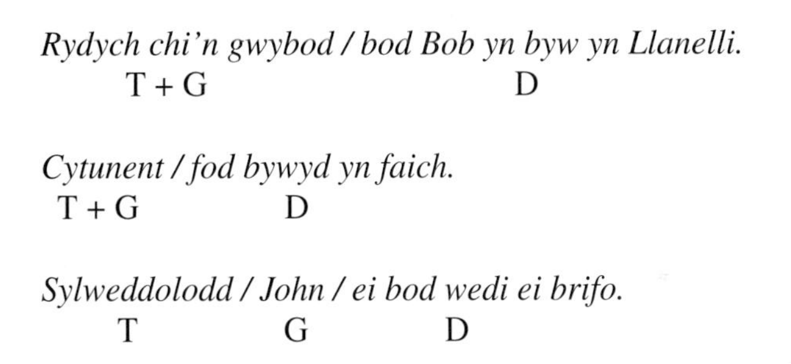

Rydych chi'n gwybod / bod Bob yn byw yn Llanelli.
T + G D

Cytunent / fod bywyd yn faich.
T + G D

Sylweddolodd / John / ei bod wedi ei brifo.
T G D

Ceir cymal enwol ailadrodd pwyslais a chymal enwol ailadrodd dibwyslais (gw. 80) a chymal enwol o gwestiwn anuniongyrchol (gw. 81).

80 *Cymal enwol ailadrodd*

Cymal enwol ailadrodd dibwyslais

Dibynna'r cyfluniad a ddewisir ar amser y ferf yn y prif gymal.

❐ Pan yw traethiedydd y prif gymal a thraethiedydd y cymal enwol yn **gyfamserol** cyflwynir y cymal enwol gan *bod*:

Rwy'n credu ***bod*** *pob un ohonynt yn wylo.*
Cytunent ***fod*** *arholiadau yn fwrn.*
Gwn ***fod*** *ei wraig yn gweithio yn Llundain.*
Gwyddwn ***fod*** *ei blant yn hoffi canu.*
Credaf dy ***fod*** *yn gwastraffu dy amser.*

Gall y cymal gael ei gyflwyno gan ferfenw: *Gobeithio bod y plant yn hoffi'r canu.*

❐ Pan yw traethiedydd y cymal enwol yn **ddyfodol** o ran ei berthynas ag amser traethiedydd y prif gymal, cyflwynir y cymal enwol gan *y*(*r*) a ddilynir gan ferf rediadol. Ceir *y* o flaen cytsain, *yr* o flaen llafariad ac *h*-:

Rwy'n barnu ***yr*** *hoffai'r gweithwyr yfed eu te.*
Gwyddai Gwydion ***y*** *byddai ei ewythr yn ei achub.*
Gwn ***y*** *daw haul ar fryn eto.*
Hyderwn ***y*** *cewch lwyddiant mawr.*
Dywedodd ***y*** *byddai'n galw yn ystod yr wythnos.*
Credaf ***yr*** *esgeulusir y gweinion.*

Gall y cymal gael ei gyflwyno gan ferfenw: *Gobeithio y bydd y plant yn hoffi'r canu.*

❒ Pan yw traethiedydd y cymal enwol yn **orffennol** o ran ei berthynas â thraethiedydd y prif gymal, gellir dewis un o'r cyfluniadau isod:

(i) *bod* + wedi + berfenw

Credai fod perthynas y ddau wedi dirywio'n enbyd.
Gwn ei fod wedi diddymu'r gorchymyn banc.

> Gall y cymal gael ei gyflwyno gan ferfenw:
>
> *Gobeithio bod y plant wedi hoffi'r canu.*

(ii) *i* + goddrych + berfenw

Yr oeddwn yn synnu ichi wneud y fath annibendod.
Honnaf imi gyflawni'r gwaith yn hollol foddhaol.

> Yng Nghymraeg gogledd Cymru gellir dewis *daru* (wedi ei dreiglo'n *ddaru*) o flaen yr arddodiad *i*:
>
> *Credaf ddaru imi gyflawni'r gwaith.*

Cymal enwol ailadrodd pwyslais

Pwysleisir y cymalau enwol uchod trwy roi *mai* o flaen yr elfen y dymunir ei phwysleisio yn y cymal enwol:

Dywedodd ***mai*** *sicrhau tegwch i bawb oedd ei amcan.*
Credai ***mai*** *gweithio yn Aberdâr yr oedd bellach.*
Yr oedd yn honni ***mai*** *yn y gogledd yr oedd hapusaf.*
Dywedodd ***mai*** *yn yr hwyr y bydd yn pysgota sewin.*
Gwn ***mai*** *hi yw yr unig Gymraes yn y neuadd.*
Fe ddeallodd ***mai*** *John oedd wrth y drws.*

> Yng Nghymraeg y de, gall *taw* ddigwydd yn hytrach na *mai*:
>
> *Yr oedd yn honni* ***taw*** *yn Sgandinafia yr oedd hapusaf.*

Negyddu'r cymal enwol

(i) Sylweddolir traethiedydd y cymal enwol gan ferf rediadol. Ceir *na*(*d*) o flaen y ferf mewn cymal enwol negyddol. Ceir *na* o flaen cytsain, *nad* o flaen llafariad. Dilynir *na* gan dreiglad llaes o *c, p, t,* a threiglad meddal o *g, b, d, m, ll, rh*, (gw. Atodiad 1):

> *Gwn* ***nad*** *yw ei wraig yn gweithio yn Llundain.*
> *Dywedodd* ***nad*** *oedd am wastraffu amser.*
> *Mae'n honni* ***na*** *chafodd gyfle.*
> *Mae wedi datgan* ***na*** *feddyliodd am hynny.*

(ii) Mewn cymal pwyslais negyddol disodlir *mai* gan *nad*:

> *Roedd wedi honni* ***nad*** *yno yr oedd hapusaf.*
> *Dywedodd* ***nad*** *sicrhau tegwch i bawb oedd ei amcan.*
> *Yr oedd yn honni* ***nad*** *arni hi yr oedd y bai.*

Ar lafar ac mewn ysgrifennu anffurfiol ceir *mai nid/mai nad, taw nad/taw nid*: *Dywedwyd wrthyn nhw mai nid arnyn nhw yr oedd y bai.* Ar lafar yn y de clywir *taw nage*: *Clywais taw nage merch sy'n dod wedi'r cyfan.*

(iii) Gellir dewis *heb* yn safle'r ategydd yn y cymal enwol negyddol:

> *Clywais fod y car* ***heb*** *ei werthu.*
> *Credaf eu bod* ***heb*** *benderfynu.*

81 Cwestiynau anuniongyrchol

Y mae cwestiynau anuniongyrchol yn gymalau enwol:

Hola'r awdur pam y dylem ddarllen nofelau cyfoes.
Ni wyddom beth yn union oedd adwaith y beirniaid.
Ni wyddwn i ble i droi.
Ni wyddai neb ymhle yr oedd y bws.
Dwy' ddim yn gwybod sut y dois i yma.

> Ar lafar ac mewn ysgrifennu anffurfiol gellir cael cymal *bod* (gw. 80) ar ôl *pam*:
>
> *Dim ond ffŵl sydd yn gofyn pam fod eira yn wyn.*

Dilynir *efallai, dichon, hwyrach, diau, diamau* gan gymal enwol:

Hwyrach fod arno hiraeth am ei gariad.
Pe cysgem yma dichon na chaem ni byth gyfle arall.
Efallai yr arhosaf gyda nhw.
Diau nad oedd y newydd mor gyffrous â hynny.
Efallai nad yw'n syndod fod John wedi dewis Un Nos Ola Leuad fel ei hoff gynhyrchiad.
Dichon nad oes yna neb sy'n amgyffred achos hyn.

Gellir cyflwyno'r cymal enwol gan *llai na* + berfenw, *peidio â* + berfenw i fynegi ystyr negyddol:

Ni allwn lai na rhyfeddu at y cyfoeth syniadau yn ei waith.
Ni allai lai na rhyfeddu at y newid ynddi.
Ni allai beidio â rhyfeddu at y newid ynddi.

82 *Uno brawddegau*

Yn anaml y ceir brawddeg ar ei phen ei hun. Fel rheol – ar lafar ac yn ysgrifenedig – bydd brawddeg wedi ei chydio wrth gyfres o frawddegau eraill i ffurfio sgwrs, paragraff, araith, llythyr, stori, nofel. Gelwir cyfres o frawddegau sydd wedi eu cydio ynghyd yn **gorpws**. Sicrheir y cwlwm rhwng y brawddegau sy'n ffurfio'r corpws gan gyfres o elfennau sy'n uno brawddegau – nodweddion a all gynnwys elfennau o wybodaeth gyffredinol yn ogystal â geirfa, atalnodi (gw. 85), goslef, a gramadeg.

> Mae'r ffurf **corpws** yn gallu cyfeirio at ddefnyddiau llafar ac ysgrifenedig.
>
> Bydd **corpws** yn cynnwys uned gyflawn o lafar neu o ysgrifen ac felly yn cynnwys, fel rheol, amryw frawddegau. Ond gall gynnwys un frawddeg yn ogystal. Er enghraifft, **PERYGL**.

Ffurfio cwlwm

Nid oes a wnelo amryw o'r dolenni sy'n cydio brawddegau wrth ei gilydd o gwbl â gramadeg.

❐ Gall ein **gwybodaeth gyffredinol** neu ein **disgwyliadau** ffurfio'r cwlwm:

Mae pen da ar hwnnw. Mae'n ychwanegu at wir flas y ddiod.

Nid oes dim o ran gramadeg na geirfa i gysylltu'r ddwy frawddeg. Gall pawb â chanddynt wybodaeth elfennol am hysbysebion, sut bynnag, ffurfio cwlwm rhyngddynt ar unwaith.

❐ Gall y **dewis o eirfa** ffurfio'r cwlwm rhwng y ddwy frawddeg:

Pryn Saab. Dyna iti gar!

Gan fod y ffurfiau ***Saab*** a ***car*** yn perthyn i fyd moduro, mae'n hawdd ffurfio cwlwm rhwng y ddwy frawddeg.

❒ Gall **atalnodi** a **threfn** (ac ar lafar **goslef**) nodi'r cwlwm rhwng brawddegau. Mae trefnu gwybodaeth yn adrannau – fel y gwnaed droeon yn y gyfrol hon – i egluro a manylu, yn enghraifft ddilys o hynny.

Cwlwm gramadegol

Gall amryw o'r elfennau gramadegol a drafodwyd gennym eisoes awgrymu'r cwlwm rhwng brawddegau.

❒ **Adferfau sy'n dynodi amser** (gw. 55)

Dechreuodd y gêm am 3.00. ***Deirawr ynghynt****, cyrhaeddodd y chwaraewyr mewn bws crand.* ***Awr yn ddiweddarach****, daeth y dyfarnwr yn ei gar ei hun.*

❒ **Rhagenw annibynnol** (gw. 48)

Gwelais y dringwyr yn cyrraedd y copa. ***Nhw*** *oedd yn flinedig.*

❒ **Terfyniadau personol y ferf** (gw. 15)

*Sylwais ar yr athletwyr yn arafu. Yr oedd****ent*** *wedi blino'n lân.*

❒ **Terfyniadau personol yr arddodiad** (gw. 65)

*Dechreuasant gloddio. Yr oedd y rhofiau gandd****ynt****.*

❒ **Graddau cymaredig yr ansoddair** (gw. 50)

Yr oedd dau geffyl yn y ras. Abernant oedd y ***cyflymaf****.*

❒ **Cysyllteiriau** (gw. 74)

Bu cwynion lu. ***Ond*** *fydda' i ddim yn cymryd y peth o ddifri.*

❒ **Rhagenw dangosol** (gw. 48)

Enillodd y tîm y gêm. ***Yr*** *asgellwr* ***hwn*** *a sgoriodd yr holl geisiau.*

❒ **Rhagenw blaen** (gw. 48)

Haeddai'r chwaraewyr bob clod. Yr oedd ***eu*** *batwyr yn rhagorol.*

❐ **Y fannod**

Cawsant glod haeddiannol. Yr oedd ***y*** *blaenwyr wedi sgarmesu'n gadarn gydol y gêm.*

Mae amryw ffurfiau eraill yn ogystal sy'n nodi cyswllt rhwng yr hyn a ddywedir neu a ysgrifennir a'r hyn a ddywedwyd neu a ysgrifennwyd ynghynt. Dyma rai ohonynt:

uchod, y canlynol, isod, yn nesaf, gynnau, yn y man

Soniwyd ***uchod*** *am gysyllteiriau cyfartal. Soniaf* ***isod*** *am gysyllteiriau isradd. Mae'r* ***canlynol*** *yn isradd ...* ***Yn nesaf****, rhaid manylu ar gymalau perthynol. Soniais* ***gynnau*** *am gymalau perthynol ...* ***Yn y man*** *cawn graffu ar yr ymadrodd annibynnol ...* ***Wedyn*** *cawn orffwys haeddiannol.*

Olrhain y cwlwm rhwng brawddegau

Fel rheol y mae amryw elfennau ymhob paragraff i gydio brawddegau wrth ei gilydd. Isod nodwyd yr elfennau gramadegol mewn print trwm:

Cychwynnodd Sioned a finnau yn gynnar un bore. ***Deirawr yn ddiweddarch****, yr odd****em*** *wedi dechrau dringo. Ychydig o brofiad oedd genn****ym*** *o fynydda. Felly, rhaid oedd* ***inni*** *bwyllo ac ennill profiad ar y bryniau is cyn mentro anelu'n* ***uwch*****.** ***Ond*** *cyrraedd y copa a wnaeth****om****. Ac o'r copa gwel****em*** *y dyffryn yn ymagor oddi tan****om****.*

83 *Yr Is-draethiad*

Pan geir cyfluniad dibynnol sy'n cynnwys ymadrodd arddodiadol a gyflwynir gan ***gan*** neu ***dan*** a'i ddilyn gan ferfenw, er enghraifft,

Plygai dros y tân **gan** *droi llond crochan o gawl.*
Aeth yn ei flaen **dan** *ganu.*

gelwir y cyfluniad yn is-draethiad. Anodd cynnig rheol bendant yn gwahaniaethu rhwng y defnydd o *gan* a *dan* yn y gystrawen hon, ond gellir awgrymu fod yr is-draethiad a gyflwynir gan yr arddodiad *gan* yn dynodi gweithred sy'n gyfamserol â hwnnw a gyfleir gan y prif ferf ac yn estyniad ar y gweithgarwch hwnnw.

Pan gyflwynir yr is-draethiad gan yr arddodiad *dan*, dynodir gweithred sydd eto'n gyfamserol â hwnnw a gyfleir gan y prif ferf ond sy'n ychwanegol ato.

Mewn llawer o ysgrifennu diweddar erydodd y gwahaniaeth rhwng y naill gystrawen a'r llall.

Gall arddodiaid eraill ragflaenu'r berfenw a chyflwyno'r is-draethiad:

❒ Yr arddodiad ***yn*** yn rhagflaenu'r berfenw
Bydd yr amser a gyfleir yn gyfamserol â hwnnw a ddynodir gan y traethiedydd yn y prif gymal:

Eisteddai ei wraig wrth y tân **yn** *chwyrnu.*

❒ Yr arddodiad ***wrth*** yn rhagflaenu'r berfenw
Bydd yr amser a gyfleir yn gyfamserol â'r hyn a ddynodir yn y prif gymal:

Gwelai gorff briwedig y draenog **wrth** *gamu o'r car.*

❒ Yr arddodiad ***wedi*** yn rhagflaenu'r berfenw
Bydd yr amser a gyfleir yn orffennol:

Brasgamodd yn ei flaen **wedi** *cael digon ar sefyllian.*

❒ Yr arddodiad ***ar*** yn rhagflaenu'r berfenw
Bydd yr amser a gyfleir yn ddyfodol agos:

Dychwelodd o'r pwyllgor ***ar*** *ffrwydro.*

❒ Yr arddodiad ***heb*** yn rhagflaenu'r berfenw
Bydd yr arddodiad yn cyfleu'r negydd

Rhedais i'r ystafell ***heb*** *feddwl.*

84 *Priflythrennau*

Rhoir priflythrennau (neu lythrennau bras fel y'u gelwir hefyd):

❐ Ar ddechrau brawddegau

❐ I ddynodi enwau priod (er enghraifft enwau pobl, lleoedd, teitlau gweithiau argraffedig, dyddiau'r wythnos, misoedd y flwyddyn, y planedau (heblaw am yr haul a'r lleuad), enwau mudiadau, sefydliadau cenedlaethol a chyrff llywodraeth:

Silvan Evans
Llanelli
Golwg
Traddodiad Llenyddol Morgannwg
Geiriadur Prifysgol Cymru
ar y Sul
prynhawn dydd Gwener
bore Iau
dydd Sul
Tachwedd
Neifion
cyfnod y Tuduriaid
Llyfrgell Genedlaethol Cymru
Urdd Gobaith Cymru
Y Cynulliad Cenedlaethol

❐ Gydag ansoddeiriau a ffurfiwyd o enwau priod:

y Methodistiaid ***Calfinaidd***
pensaernïaeth ***Duduraidd***
y chwedlau ***Celtaidd***
tai ***Sioraidd***

❒ Wrth nodi byrfoddau ac acronymau:

AC	*Aelod o'r Cynulliad*
GPC	*Geiriadur Prifysgol Cymru*
LlGC	*Llyfrgell Genedlaethol Cymru*
SC	*Studia Celtica*
UCAC	*Undeb Cenedlaethol Athrawon Cymru*
ACAC	*Awdurdod Cwricwlwm ac Asesu Cymru*

❒ Ar gyfer teitlau neu swyddi:

Syr John Rhŷs
yr Esgob Burgess
yr Athro John Morris Jones
y Prifardd Tudur Dylan Jones
yr Arglwydd Geraint
yr Arlywydd Clinton

85 *Atalnodi*

Byddwn yn dysgu ac yn mabwysiadu goslef yn naturiol wrth ddysgu siarad. Rhaid dysgu atalnodi, sut bynnag, yn ffurfiol wrth inni feistroli crefft darllen ac ysgrifennu.

❐ Gall atalnodi wahanu unedau gramadeg.
Er enghraifft gwahenir brawddegau gan atalnod llawn (.), gofynnod (?), neu ebychnod (!) ynghyd â phriflythyren yn ddechreuol (gw. 1).

❐ Gall atalnod gyflawni swyddogaeth ramadegol arbennig.
Er enghraifft dynoda'r collnod (') fod llythyren neu lythrennau wedi eu hepgor o'r hyn sy'n ysgrifenedig: *cana' i* am *canaf i.*

Hwyluso deall ystyr yw pwrpas atalnodi, ond y mae gan wahanol unigolion arferion gwahanol wrth atalnodi eu gwaith. Bydd cyhoeddwyr yn aml yn cynnig canllawiau manwl ynglŷn â'r hyn a ddisgwylir ganddynt wrth i awdur dderbyn comisiwn i gyflwyno teipysgrif.

Y prif nodau atalnodi

Y cyplysnod (-) Defnyddir cyplysnod (cysylltnod),
(i) i gydio gwahanol elfennau gair cyfansawdd:

di-asgwrn-cefn
di-droi'n ôl
di-sôn-amdani
Tal-y-llyn

(ii) i osgoi unrhyw bosibilrwydd o amwysedd pan fo modd dehongli olyniad o ddwy gytsain naill ai fel un llythyren neu fel dwy lythyren:

llygad-dynnu
ail-lenwi
hwynt-hwy

'n' ac 'r' yw'r unig lythrennau a ddyblir yn y Gymraeg, a defnyddir cyplysnod i wahanu cyfuniadau o gytseiniaid unfath fel yn y ffurfiau canlynol:

lladd-dy
hyd-ddynt
rhydd-ddeiliaid
rhyng-golegol

(iii) i ddynodi bod gair wedi ei dorri rhwng argraffu diwedd y naill linell a dechrau'r llall. Arfer i'w osgoi, sut bynnag, yw rhannu geiriau, ac nid yw'n anorfod o bell ffordd, o iawn ddefnyddio'r technegau argraffu diweddaraf.

(iv) i wahanu'r sillaf obennol a'r sillaf olaf
Fel rheol bydd y cyplysnod yn cyfleu safle'r acen h.y. yn nodi mai'r sillaf olaf sy'n cynnal y brif acen:

cam-drin
hunan-barch
dad-wneud
di-Gymraeg

Bydd ystyr rhai geiriau'n amrywio yn ôl eu haceniad:

Y goben yn acennog		Y sillaf olaf yn acennog	
diben	'amcan, pwrpas'	di-ben	'heb ben'
diflas	'annifyr'	di-flas	'heb flas'
diffaith	'anial'	di-ffaith	'heb ffaith'
diffrwyth	'diwerth'	di-ffrwyth	'heb ffrwyth'

(v) i wahanu dwy sillaf gyntaf gair
Pan fydd *cyd, cyn, is, ôl, uwch* yn elfennau cyntaf mewn geiriau ac yn dwyn pwyslais arbennig, bydd cysylltnod yn eu gwahanu oddi wrth y sillaf nesaf:

cyd-wladwyr
cyn-gadeirydd
is-ganghellor
ôl-ddyddio
uwch-bwyllgor

Yr atalnod (,) Gall atalnod (coma) wahanu geiriau ac ymadroddion mewn olyniad cyfresol ynghyd â rhai cymalau:

Te, coffi, sudd, dŵr potel.
Seintiau Celtaidd, eglwysi Celtaidd, croesau Celtaidd, pobl Geltaidd.
Ychydig o seibiant, ychydig o lonydd, ychydig o gariad.
Llewygodd y ferch, a wisgai'r het goch, wrth gamu o'r awyren.

Gall, yn ogystal, arwyddo cyfosod (gw. 46).

Yr hanner colon (;) Bydd hanner colon (hanner gwahanod) fel rheol yn dynodi toriad yng nghystrawen ramadegol brawddeg, ond erys perthynas agos iawn rhwng yr elfennau o boptu'r hanner colon:
Ganrifoedd yn ôl iaith Geltaidd oedd i'w chlywed yn Lloegr. Brythoneg oedd enw'r iaith honno; un o ddisgynyddion y Frythoneg yw'r Gymraeg.

Gall yr hanner colon, arwyddo cyfosod yn ogystal (gw. 46).

Yr atalnod llawn (.) Gall atalnod llawn (diweddnod) ddynodi,
(i) diwedd brawddeg: (gw. 1).
(ii) byrfodd:

gw.	gweler
h.y.	hynny yw
e.e.	er enghraifft
A.S.	Aelod Seneddol

Mae'n arferol ysgrifennu talfyriadau megis UCAC neu AS heb yr atalnod llawn am fod y talfyriadau hyn wedi eu llunio o briflythrennau.

> Fel rheol ni ddefnyddir atalnod llawn mewn byrfodd sy'n dynodi teitl pan yw'r byrfodd hwnnw'n diweddu â chytsain olaf y teitl llawn: *Mr, Mrs, Dr*

Y colon (:) Gall colon (gwahanod) gyflwyno,
(i) ychwanegiad at yr hyn a nodwyd eisoes:
Y mae'n werth nodi rhai ffurfiau eraill: ohanaf, hanaf, honaf.

(ii) olyniad cyfresol:
Darllenodd y rhestr siopa: bara, caws, menyn, te, siwgr.

(iii) dyfyniad:

Mae'n demtasiwn meddwl fod yr enw Abererch wedi ei gynnwys yn yr englyn er mwyn odl:

Yn Aber*erch*, Rhydd*erch* Hael

Gall colon arwyddo cyfosod yn ogystal (gw. 46).

Dyfynodau dwbl (" ") Rhoddir y rhain am eiriau a leferir gan berson:

"Mae ofon y carchar arna'i," meddai Myrddin, "bydd carchar yn uffern i un sy'n gyfarwydd â'r wlad."

Tuedd gynyddol, bellach, yw defnyddio dyfynodau dwbl o fewn dyfynodau sengl yn unig:

'Oeddech chi wedi mwynhau "Llyffantod"' holodd Gwilym.

Dyfynodau sengl (' ') Rhoddir y rhain yn gyffredin,

(i) am eiriau a leferir gan berson:

'Mae rhywbeth o'i le,' meddai Menna.
Pwyntiais at un o'r ceir. 'Tania hwnna.'
'Mae arna' i ofn cyffwrdd â dim,' atebodd hithau.

(ii) am deitl cerdd:

'Y Llwynog' gan R. Williams Parry

Bachau Petryal ([ ]) Fel rheol fe'u dodir o amgylch pethau nad ydynt yn rhan o eiriau gwreiddiol awdur neu o amgylch pethau y gellir eu hepgor:

Cafodd hithau [Mari Jones] ei llofruddio yn Llandeilo.

Gellir defnyddio cromfachau ( ), pâr o linellau – –, dyfyn nodau sengl ' ', yn ogystal ag atalnodau i ddynodi bod olyniad arbennig yn gynwysiedig o fewn olyniad arall:

Cafodd y wobr gyntaf (gwerth £100 o lyfrau) dderbyniad gwresog.
Cafodd y wobr gyntaf -gwerth £100 o lyfrau- dderbyniad gwresog.
Cafodd y wobr gyntaf 'gwerth £100 o lyfrau' dderbyniad gwresog.
Cafodd y wobr gyntaf, gwerth £100 o lyfrau, dderbyniad gwresog.

Atodiad 1

Cytsain gysefin	*Y treiglad meddal*	*Y treiglad trwynol*	*Y treiglad llaes*
p	b	mh	ph
t	d	nh	th
c	g	ngh	ch
b	f	m	
d	dd	n	
g	–	ng	
ll	l		
rh	r		
m	f		

Dan amodau'r treiglad llaes ychwanegir *h-* at ffurfiau sy'n cynnwys llafariad mewn safle dechreuol.

Ni restrir holl amodau treiglo yn y gyfrol hon. Tybiwyd mai digonol i ddibenion y gyfrol oedd cyfeirio at y tabl uchod. Am drafodaeth hwylus ar dreigladau'r Gymraeg gellid ymgynghori â *Taclo'r Treigladau* (Llandysul, Gwasg Gomer, 1997).

Atodiad 2

Geiriau Tebyg

ael	eb.	*brow*
ail	ans. ac eg.	*like*; *second*
bae	eg.	*bay*
bai	eg.	*fault*
bar	eg.	*bar*
bâr	eg.	*anger; greed*
budd	eg.	*benefit*
bydd	3un. pres. myn. 'bod'	
cae	eg.	*field*; *brooch*
cau	be.	*to close*
cau	ans.	*hollow*
cael	be.	*to have*
caul	eg.	*curd*; *rennet*
caledi	eg.	*hardship*
caledu	be.	*to harden*
cam	eg.	step; wrong
camre	eg.	footsteps; journey
can	eg.	*flour*
can	ans.	*white*
can	ans.	*hundred*
cân	eb.	*song*
cân	3ydd un. pres. myn. 'canu'	
cannu	be.	*to whiten*
canu	be.	*to sing*
car	eg.	*car*
câr	eg.	*kinsman; friend*
carpedi	ell.	*carpets*
carpedu	be.	*to carpet*

cartref	eg.	*home*	
gartref	adf.	*at home*	
adref	adf.	*homewards*	
ci	eg.	*dog*	
cu	ans.	*dear*	
cil	eg.	*corner; cud; wane*	
cul	ans.	*narrow*	
claear	ans.	*lukewarm*	
claer	ans.	*bright*	
clai	eg.	*clay*	
clau	ans.	*swift*	
clos	eg.	*close; yard*	ll. closydd
clos	eg.	*breeches*	ll. closau
clòs	ans.	*close*	
côr	eg.	*stall; choir*	ll. corau
cor	eg.	*dwarf*	ll. corrod
corryn	eg.	*spider*	ll. corynnod, corrod
corun	eg.	*crown of the head*	ll. corunau
crud	eg.	*cradle*	
cryd	eg.	*fever*	
cynghorau	ell.	*councils*	
cynghorion	ell.	*counsels*	
cyll	ell.	*hazel*	
cyll	3ydd un. pres. myn.	'colli'	
Cymru	egb.	*Wales*	
Cymry	ell.	*Welshmen*	
Cymraeg	egb.	*Welsh (language)*	
Cymraeg	ans.	*in Welsh*	
Cymreig	ans.	*pertaining to Wales*	
cymun	eg.	*communion*	
cymuno	be.	*to take communion*	
cymynn	eg.	*bequest*	
cymynnu	be.	*to bequeath*	
cymynu	be.	*to hew*	

cyn	ardd.	*before*	
cŷn	eg.	*chisel*	
cynnau	be.	*to light*	
gynnau	ell.	*guns*	
gynnau	adf.	*a short while ago*	
cynydd	eg.	*master of hounds*	
cynnydd	eg.	*progress*	
chwaeth	eg.	*taste*	
chwaith	adf.	*neither*	
chwith	ans.	*left*; *sad*	
chwyth	eg.	*blast; breath*	
doe	adf.		
doi	2un. pres. myn. 'dod'		
dôi	3un amh. myn. 'dod'		
dol	eb.	*doll*	ll. doliau
dôl	eb.	*meadow*	ll. dolydd
dug	eg.	*duke*	
dug	3ydd un. gorff. myn. 'dwyn'		
dig	ans.	*angry*	
dwg	3ydd un. pres. myn 'dwyn'		
esgid	eb.	*shoe*; *boot*	
esgud	ans.	*quick*	
ewin	egb.	*nail*; *claw; hoof*	
ewyn	eg.	*foam*	
ffi	eg.	fee	
ffy	3ydd un. pres. myn. 'ffoi'		
ffraeo	be.	*to quarrel*	
ffrio	be.	*to fry*	
gefail	eb.	*smithy*	ll. gefeiliau
gefel	eb.	*tongs*	
glân	ans.	*clean*; *pure*	
glan	eb.	*shore*	
glyn	eg.	*glen*	
glŷn	3ydd un. pres. myn. 'glynu'		

gwain	eb.	*sheath*	ll. gweiniau
gwaun	eb.	*moor*	ll. gweunydd
gwâl	eb.	*lair*	ll. gwalau
gwal	eb.	*wall*	ll. gwaliau, gwelydd
gwanaf	1af un. pres. myn. 'gwanu'		
gwannaf	ans. gradd eithaf	*weakest*	
gwâr	ans.	*gentle; civilized*	
gwar	egb.	*nape of the neck*	
gwarchae	be.	*to besiege*	
gwarchod	be.	*to guard; to baby sit*	
gweddi	eb.	*prayer*	ll. gweddïau
gweddu	be.	*to suit*	
gwiw	ans.	*worthy; meet*	
gwyw	ans.	*withered*	
gŵn	eg.	*gown*	ll. gynau
gwn	eg.	*gun*	ll. gynnau
gwn	1af un. pres. myn. 'gwybod'		
gŵydd	eb.	*presence*	
gŵydd	eb.	*goose*	
gwŷdd	ell.	*trees*	
gŵyr	3ydd un. pres. myn. 'gwybod'		
gŵyr	ans.	*crooked*	
gwŷr	ell.	*men*	
hael	ans.	*generous*	
haul	eg.	*sun*	
hud	eg.	*magic*	
hyd	eg.	*length*	
hyd	ardd.	*to; till; as far as*	
hun	eb.	*sleep*	
hun	rhag.	*self*	
hyn	ans. a rhag.	*this*	
hŷn	ans.	*older*	
hin	eb.	*weather*	
llen	eb.	*curtain; sheet; veil*	
llên	eb.	*literature*	

lli	eg.	*flood*	
llu	eg.	*host*	
llifiau	ell.	*saws*	
llifogydd	ell.	*floods*	
llin	eg.	*flax*	
llun	eg.	*picture*	ll. lluniau
llyn	eg.	*lake*	ll. llynnoedd
lliw	eg.	colour	lliwiau
llyw	eg.	ruler; rudder	llywiau
llus	ell.	bilberries, whimberries	
llys	eg.	court; slime	
llwythau	ell.	*tribes*	
llwythi	ell.	*loads*	
mae	3ydd un. pres. myn.	'bod'	
mai	cys.	*that*	
maeth	eg.	*nourishment*	
maith	ans.	*long*	
melin	eb.	*mill*	
melyn	ans.	*yellow*	
mil	eb.	*thousand*	ll. miloedd
mil	eg.	*animal*	ll. milod
mul	eg.	*mule*	ll. mulod
mor	adf.	*so, as*	
môr	eg.	*sea*	
nad	geiryn negyddol		
nâd	eb.	*cry*	
peri	be.	*to cause*	
pery	3ydd un. pres. myn.	'parhau'	
person	eg.	*person*	ll. personau
person	eg	*parson*	ll. personiaid
pin	eg.	*pine*	
pìn	eg.	*pin*	
pridd	eg.	*soil*	
prudd	ans.	*sad*	

prif	ans.	*chief*	
pryf	eg.	*insect*	
prydau	ell.	*meals*	
prydiau	ell.	*times*	
pwysau	eg.	*weight*	
pwysi	ell.	*lbs.*	
rhenti	ell.	*rents*	
rhentu	be.	*to rent*	
rhiw	eb.	*hill*	
rhyw	egb.	*sort*; *sex*	
rhyw	ans.	*some*; *certain*	
rhu	eg.	*roar*	
rhy	adf.	*too*	
rhy	3ydd un. pres. myn.	'rhoi'	
rhudd	ans.	*red*	
rhydd	ans.	*free*	
rhydd	3ydd un. pres. myn.	'rhoddi'	
sir	eb.	*county*	
sur	ans.	*sour*	
syr	eg.	*sir*	
sudd	eg.	*juice*	
sydd	ffurf berthynol 3ydd un. pres. myn 'bod'		
taer	ans.	*earnest*	
tair	ans.	*three* (ben.)	
tal	ans.	*tall*	
tâl	eg.	*payment; forehead; front*	
tâl	3ydd un. pres. myn.	'talu'	
tanau	ell.	*fires*	
tannau	ell.	*strings*	
tannu	be.	*to spread*	
ti	rhag.	*you*	
tu	eg.	*side*	
tŷ	eg.	*house*	
ton	eb.	*wave*	ll. tonnau
tôn	eb.	*tune*	ll. tonau

twr	eg.	*crowd*; *heap*	ll. tyrrau
tŵr	eg.	*tower*	ll. tyrau
tri	ans.	*three*	
try	3ydd un. pres. myn.	'troi'	
ymladd	be.	*to fight*	
ymlâdd	be.	*to tire oneself*	
yntau	rhag.	*he also*	
ynteu	cys.	*or*; *otherwise*	

Darllen Pellach

Llyfryddiaeth

Y prif ganllawiau llyfryddol ar gyfer astudio'r iaith Gymraeg yw *Bibliotheca Celtica* a *Llyfryddiaeth Cymru, A Bibliography of Wales,* a gyhoeddir gan Lyfrgell Genedlaethol Cymru, Aberystwyth; *The Year's Work in Modern Languages* a gyhoeddir gan The Modern Humanities Research Association; *Studia Celtica* 1- (1966-), 'Rhestr o lyfrau ac erthyglau ar yr ieithoedd Celtaidd a dderbyniwyd yn Llyfrgell Genedlaethol Cymru, Aberystwyth'. Cynhwysir adran ar yr ieithoedd Celtaidd yn ogystal yn *Linguistic Bibliography* a gyhoeddir gan Bwyllgor Sefydlog Cydwladol yr Ieithyddion.

Cydnabyddir pob enghraifft a ddaw o destun llenyddol. Yn 1988 ymddangosodd Y Beibl Cymraeg Newydd; yr oedd y gwaith hwnnw, yn naturiol ddigon, yn gloddfa gyfoethog ar gyfer y gyfrol hon ond defnyddiwyd, yn ogystal, enghreifftiau o argraffiadau cynt. Daw rhai o'r enghreifftiau o amryw ramadegau Cymraeg.

(*A*) *Llyfrau'r Beibl*

Llyfrau'r Hen Destament
Gen., Ex., Lef., Num., Deut., Jos., Barn., Ruth, 1 Sam., 2 Sam., 1 Bren., 2 Bren., 1 Cron., 2 Cron., Esra, Neh., Esther, Job, Salmau, Diar., Preg., Can., Eseia, Jer., Gal., Esec., Dan., Hos., Joel, Amos, Obad., Jona, Micha, Nah., Hab., Seff., Hag., Sech., Mal.

Llyfrau'r Testament Newydd
Mth., Mc., Lc., In., Act., Rhuf., 1 Cor., 2 Cor., Gal., Eff., Phil., Col., 1 Thes., 2 Thes., 1 Tim., 2 Tim., Tit., Philem., Heb., Iago, 1 Pedr, 2 Pedr, 1 In., 2 In., 3 In., Jwdas, Dat.

Llyfrau'r Apocryffa
Tob., Jud., Y Es., D So., Eccl., Bar., Ll J., Ct Ll., Sws., B Dd., 1 Mac., 2 Mac., 1 Esd., 2 Esd., G M.

(*B*) *Geiriaduron*

Collins Spurrell Welsh Dictionary (1991). Glasgow: HarperCollins.

Geiriadur Prifysgol Cymru: A Dictionary of the Welsh Language (1950-). Caerdydd: Gwasg Prifysgol Cymru.

Evans, H. Meurig 1981: *Y Geiriadur Cymraeg Cyfoes*. Llandybïe: Hughes a'i Fab.

Evans, H. Meurig a Thomas, W. O. 1958: *Y Geiriadur Mawr*. Llandysul: Gwasg Gomer.

Lewis, D. Geraint 1994: *Geiriadur Gomer i'r Ifanc*. Llandysul: Gwasg Gomer.

Prys, Delyth (gol.) 1998: *Y Termiadur Ysgol: Termau wedi'u Safoni ar gyfer Ysgolion Cymru*. Caerdydd: ACAC.

Williams, Jac L. (gol.) 1973: *Geiriadur Termau*, Caerdydd: Gwasg Prifysgol Cymru.

Y Thesawrws Cymraeg 1993. Abertawe: Gwasg Pobl Cymru.

(*C*) *Gramadegau a Gweithiau Eraill ar Iaith*

Anwyl, Edward 1897: *Welsh Grammar.* London: Swann, Sonnenschein & Co. Ltd.

Awbrey, G. M. 1984: Welsh. Yn Peter Trudgill (ed.), *Language in the British Isles*. Cambridge: Cambridge University Press.

Awbrey, G. M. 1988: Pembrokeshire Negatives. *Bwletin y Bwrdd Gwybodau Celtaidd*, 35: 37-49.

Ball, Martin J. (ed.) 1988: *The Use of Welsh*. Clevedon: Multilingual Matters.

Ball, Martin J. and Müller, Nicole 1992: *Mutation in Welsh*. London: Routledge.

Brake, Phylip J. 1980: Astudiaeth o Seinyddiaeth a Morffoleg Tafodiaith Cwm-ann a'r Cylch. Traethawd M.A. (Prifysgol Cymru).

Brake, Phyl 1999: *Cymraeg Graenus*. Llandysul: Gwasg Gomer.

Cyd-Bwyllgor Addysg Cymru 1991: *Ffurfiau Ysgrifenedig Cymraeg Llafar*. Caerdydd: Cyd-Bwyllgor Addysg Cymru.

Comisiwn Cyfle Cyfartal 1999: *Hysbysebu Swyddi yn y Gymraeg*. Caerdydd: Comisiwn Cyfle Cyfartal.

Davies, Cennard 1988: Cymraeg Byw. Yn M. J. Ball (ed.), tt. 200-10.

Davies, Evan J. 1955: Astudiaeth Gymharol o Dafodieithoedd Dihewyd a Llandygwydd. Traethawd M.A. (Prifysgol Cymru).

Davies, J. J. G. 1934: Astudiaeth o Gymraeg llafar ardal Ceinewydd. Traethawd Ph.D. (Prifysgol Cymru).

Evans, D. Simon 1964: *A Grammar of Middle Welsh*. Dublin: Dublin Institute of Advanced Studies.

Evans, J. J. 1946 *Gramadeg Cymraeg*. Aberystwyth: Gwasg Aberystwyth.

Fife, J. 1986: Literary vs. colloquial Welsh: problems of definition. *Word*, 37: 141-51.

Fife, J. and Poppe, E. (eds) 1991: *Studies in Brythonic Word Order*. Amsterdam: Benjamins.

Fynes-Clinton, O. H. 1913: *The Welsh Vocabulary of the Bangor District*. Oxford: Oxford University Press.

Gramadeg Cymraeg Cyfoes: Contemporary Welsh Grammer 1976. Y Bontfaen: D.Brown a'i Feibion.

Jackson, K. H. 1953: *Language and History in Early Britain*. Edinburgh: Edinburgh University Press.

Jenkins, Myrddin 1959: *A Welsh Tutor*. Cardiff: University of Wales Press.

Jones, C. M. 1987: Astudiaeth o Iaith Lafar y Mot (Sir Benfro). Traethawd Ph.D. (Prifysgol Cymru).

Jones, C. M. 1989: Cydberthynas Nodweddion Cymdeithasol ag Amrywiadau'r Gymraeg yn y Mot, Sir Benfro. *Bwletin y Bwrdd Gwybodau Celtaidd*, 28: 64-83.

Jones, Dafydd Glyn 1988: Literary Welsh. Yn M. J. Ball (ed.), tt. 125-71.

Jones, Bob Morris 1993: *Ar Lafar ac ar Bapur*. Aberystwyth: Y Ganolfan Astudiaethau Addysg.

Jones, Bob Morris 1991/93: The Definite Article and Specific Reference. *Studia Celtica*, 26/27: 175-201.

Jones, Morris 1972: The items Byth and Erioed. *Studia Celtica*, 7: 92-119.

Jones, Robert Owen 1967: A Structural Phonological Analysis and Comparison of Three Welsh Dialects. Traethawd M.A. (Prifysgol Cymru).

Lewis, Ceri (gol.) 1987: *Orgraff yr Iaith Gymraeg*. Caerdydd: Gwasg Prifysgol Cymru

Lewis, D. Geraint 1995 *Y Llyfr Berfau: A Check-list of Welsh Verbs*. Llandysul Gwasg Gomer.

Lewis, Henry 1931: *Datblygiad yr Iaith Gymraeg*. Caerdydd: Gwasg Prifysgol Cymru.

Lewis, Henry 1943: *Yr Elfen Ladin yn yr Iaith Gymraeg*. Caerdydd: Gwasg Prifysgol Cymru.

Lewis, Henry and Pedersen, Holger 1937: *A Concise Comparative Celtic Grammar*. Göttingen: Vandenhoek & Ruprecht.

Morgan, T. J. 1952: *Y Treigladau a'u Cystrawen*. Caerdydd: Gwasg Prifysgol Cymru.

Morgan, T. J. 1987: Sim'o i'n gwbod. Sana-i'n gwbod. *Bwletin y Bwrdd Gwybodau Celtaidd*, 34: 88-93.

Morris-Jones, J. 1913: *A Welsh Grammar: Historical and Comparative*. Oxford: Oxford University Press.

Morris-Jones, J. 1925: *Cerdd Dafod*. Rhydychen: Gwasg Clarendon.

Morris-Jones, J 1931: *Welsh Syntax*. Cardiff: University of Wales Press.

Phillips, Vincent H. 1955: Astudiaeth o Gymraeg llafar Dyffryn Elái a'r cyffiniau. Traethawd M.A. Prifysgol Cymru.

Richards, Melville 1938: *Cystrawen y Frawddeg Gymraeg*. Caerdydd: Gwasg Prifysgol Cymru.

Thomas, Beth a Thomas, Peter Wynn 1989: *Cymraeg, Cymrâg, Cymrêg ... Cyflwyno'r Tafodieithoedd.* Caerdydd: Gwasg Tâf.

Thomas, Peter Wynn 1996. *Gramadeg y Gymraeg*. Caerdydd: Gwasg Prifysgol Cymru.

Thomas, C. H. 1975/76: Some phonological features of dialects in south-east Wales. *Studia Celtica,* 10/11: 345-36.

Thomas, C. H. 1982: Registers in Welsh. *International Journal of the Sociology of Language,* 35: 87-115.

Thomas, C. H. 1993: *Tafodiaith Nantgarw.* Caerdydd: Gwasg Prifysgol Cymru.

Thorne, D. A. 1971: Astudiaeth Seinyddol a Morffolegol o Dafodiaith Llangennech. Traethawd M.A. Prifysgol Cymru.

Thorne, D. A. 1976: Astudiaeth Gymharol o Ffonoleg a Gramadeg Iaith Lafar y Maenorau oddi mewn i Gwmwd Carnwyllion yn Sir Gaerfyrddin. Traethawd Ph.D.Prifysgol Cymru.

Thorne, D. A. 1975/76: Arwyddocâd y Rhagenwau Personol Ail Berson Unigol ym Maenor Berwig. *Studia Celtica*, 10/11: 383-87.

Thorne, D. A. 1977: Arwyddocâd y Rhagenwau Personol Ail Berson Unigol yng Nglyn Nedd (Gorllewin Morgannwg), Hebron (Dyfed) a Charnhedryn (Dyfed). *Bwletin y Bwrdd Gwybodau Celtaidd*, 27: 389-98.

Thorne, D. A. 1980: Cyfosod yn y Gymraeg: camre cyntaf mewn diffinio. *Bwletin y Bwrdd Gwybodau Celtaidd,* 29: 53-65.

Thorne, D. A. 1984: Sylwadau ar rai treigladau. *Bwletin y Bwrdd Gwybodau Celtaidd,* 31: 74-84.

Thorne, D. A. 1985: *Cyflwyniad i Astudio'r Iaith Gymraeg.* Caerdydd: Gwasg Prifysgol Cymru.

Thorne, D. A. 1993: *A Comprehensive Welsh Grammar: Gramadeg Cymraeg Cynhwysfawr.* Oxford: Blackwell.

Thorne, D. A. 1996: *Gramadeg Cymraeg*. Llandysul: Gwasg Gomer.

Watkins, T. A. 1961: *Ieithyddiaeth: Agweddau ar Astudio Iaith.* Caerdydd: Gwasg Prifysgol Cymru.

Watkins, T. Arwyn 1977/78: Y Rhagenwau Ategol. *Studia Celtica*, 12/13: 349-66.

Watkins, T. Arwyn 1991: The function of cleft and non-cleft constituent orders in modern Welsh. Yn J. Fife ac E. Poppe (eds), tt. 229-351.

William, Urien 1960: *A Short Welsh Grammar*. Llandybïe: Christopher Davies.

Williams, Stephen J. 1959: *Elfennau Gramadeg Cymraeg*. Caerdydd: Gwasg Prifysgol Cymru.

Williams, Stephen J. 1980: *A Welsh Grammar.* Cardiff: University of Wales Press.

(*CH*) *Papurau Newydd, Cylchgronau a Chyfnodolion*

Barddas
Barn
BBCS (*Bwletin Y Bwrdd Gwybodau Celtaidd*)
Cylchgrawn Llyfrgell Genedlaethol Cymru
Golwg
Llais Llyfrau
Llên Cymru
Sbec
Studia Celtica
Taliesin
Y Cymro
Y Ddraig Goch
Y Tiwtor
Y Faner
Y Faner Newydd
Y Traethodydd

(*D*) *Gweithiau Llenyddol*

Ap Gwilym, Gwyn 1979: *Da o Ddwy Ynys*. Abertawe: Christopher Davies.

Bowen, Geraint (gol.) 1970: *Y Traddodiad Rhyddiaith.* Llandysul: Gwasg Gomer.

Bowen, Geraint (gol.) 1972: *Ysgrifennu Creadigol*. Llandysul: Gwasg Gomer.

Bowen, Geraint, (gol.) 1976: *Y Traddodiad Rhyddiaith yn yr Ugeinfed Ganrif*. Llandysul: Gwasg Gomer.

Bromwich, Rachel ac Evans, D. Simon 1988: *Culhwch ac Olwen*. Caerdydd: Gwasg Prifysgol Cymru.

Bunyan, John 1962: *Taith y Pererin*, addaswyd gan Trebor Lloyd Evans. Llandysul: Gwasg Gomer.

Carroll, Lewis, 1982: *Anturiaethau Alys yng Ngwlad Hud*, trosiad gan Selyf Roberts. Llandysul: Gwasg Gomer.

Carroll Lewis 1984: *Trwy'r Drych a'r Hyn a Welodd Alys Yno*, trosiad gan Selyf Roberts. Llandysul: Gwasg Gomer.

Chilton, Irma 1989: *Mochyn Gwydr*. Llandysul: Gwasg Gomer.

Davies, Aneirin Talfan 1972: *Bro Morgannwg* 1. Llandybïe: Christopher Davies.

Davies, Aneirin Talfan 1976: *Bro Morgannwg* 2. Llandybïe: Christopher Davies.

Davies, Bryan Martin 1988: *Gardag*. Llandybïe: Christopher Davies.

Davies, Martin 1995: *Brân ar y Crud*, Talybont: Gwasg y Lolfa.

Davies, T. Glynne Davies 1974: *Marged*. Llandysul: Gwasg Gomer.
Dürrenmatt, Friedrich 1958: *Yr Adduned*, Cyfieithiad o *Das Versprechen*, gan Robat Powell. Caerdydd: Yr Academy Gymreig.
Eames, Marion 1982: *Y Gaeaf Sydd Unig*. Llandysul: Gwasg Gomer.
Eames, Marion 1992: *Y Ferch Dawel*. Llandysul: Gwasg Gomer.
Edwards, Hywel Teifi 1980: *Gŵyl Gwalia*. Llandysul: Gwasg Gomer.
Edwards, Hywel Teifi 1989: *Codi'r hen Wlad Yn Ei Hôl*. Llandysul: Gwasg Gomer.
Edwards, Jane 1976: *Dros Fryniau Bro Afallon*. Llandysul: Gwasg Gomer.
Edwards, Jane 1977: *Miriam*. Llandysul: Gwasg Gomer.
Edwards, Jane 1980: *Hon, Debygem, ydoedd Gwlad yr Hafddydd*. Llandysul: Gwasg Gomer.
Edwards, Jane 1989: *Blind Dêt*. Llandysul: Gwasg Gomer.
Eirian, Siôn 1979: *Bob yn y Ddinas*. Llandysul: Gwasg Gomer.
Elis, Islwyn Ffowc 1970: *Y Gromlech yn yr Haidd*. Llandysul: Gwasg Gomer.
Elis, Islwyn Ffowc 1971: *Eira Mawr*. Llandysul: Gwasg Gomer.
Evans, Ray 1986: *Y Llyffant*. Llandysul: Gwasg Gomer.
Evans, T. Wilson 1983: *Y Pabi Coch*. Llandysul: Gwasg Gomer.
Flynn, Paul 1998: *Baglu 'Mlaen*, Caernarfon: Gwasg Gwynedd.
George, Delyth 1990: *Islwyn Ffowc Elis*. Caernarfon: Gwasg Pantycelyn.
Gill, B. M. 1990: *Llinyn Rhy Dynn*, addasiad Meinir Pierce Jones, Llandysul: Gwasg Gomer
Gruffudd, Robat 1986: *Y Llosgi*. Talybont: Gwasg y Lolfa.
Gruffydd, R. Geraint (gol.) 1988: *Y Gair ar Waith*. Caerdydd: Gwasg Prifysgol Cymru.
Hauptman, Gerhart a Böll, Heinrich 1971: *Carnifal,* cyfieithiad J. Elwyn Jones. Y Bala: Gwasg y Sir.
Hughes, J. Elwyn 1989: *Cyfansoddiadau a Beirniadaethau Dyffryn Conwy a'r Cyffiniau*. Llandysul: Gwasg Gomer.
Hughes, J. Elwyn 1991: *Cyfansoddiadau a Beirniadaethau Bro Delyn*. Llandysul: Gwasg Gomer.
Hughes, J. Elwyn 1995: *Cyfansoddiadau a Beirniadaethau Bro Colwyn*, Llandybïe: Gwasg Dinefwr.
Hughes, Mair Wyn 1983: *Yr Un Yw'r Frwydr*. Llandysul: Gwasg Gomer.
Hughes, Mair Wyn 1989: *Caleb*. Llandysul: Gwasg Gomer.
Hughes, R. Cyril 1975: *Catrin o Ferain*. Llandysul: Gwasg Gomer.
Hughes, R. Cyril 1976: *Dinas Ddihenydd*. Llandysul: Gwasg Gomer.
Humphreys, Emyr 1981: *Etifedd y Glyn*, trosiad Cymraeg gan W. J. Jones. Penygroes: Gwasg Dwyfor.
Humphreys, Emyr 1986: *Darn o Dir*, trosiad Cymraeg gan W. J. Jones. Penygroes: Gwasg Dwyfor.

Hywel, Emyr 1973-4: *Gwaedlyd y Gad.* Y Bontfaen: Brown a'i Feibion.
Hywel, Emyr 1989: *Dyddiau'r Drin.* Llandybïe: Cyhoeddiadau Barddas.
Jenkins, Geraint H. 1980: *Thomas Jones yr Almanaciwr,* Caerdydd: Gwasg Prifysgol Cymru.
Jenkins, Geraint H. 1983: *Hanes Cymru yn y Cyfnod Modern Cynnar 1530-1760.* Caerdydd: Gwasg Prifysgol Cymru.
Jenkins, Geraint H. 1988: *Iaith Carreg fy Aelwyd: Iaith a Chymuned yn y Bedwaredd Ganrif ar Bymtheg.* Caerdydd: Gwasg Prifysgol Cymru.
Jenkins, John (gol.): *Fy Nghymru i.* Abertawe: Christopher Davies.
Johnson, Dafydd 1989: *Iolo Goch.* Caernarfon: Gwasg Pantycelyn.
Jones, Angharad 1995: *Y Dylluan Wen.* Llandysul: Gwasg Gomer.
Jones, Alun 1981: *Pan Ddaw'r Machlud.* Llandysul: Gwasg Gomer.
Jones, Alun 1989: *Plentyn y Bwtias.* Llandysul: Gwasg Gomer.
Jones, Dic 1989: *Os Hoffech Wybod ...* Caernarfon: Gwasg Gwynedd.
Jones, Elwyn 1978: *Picell mewn Cefn.* Llandysul: Gwasg Gomer.
Jones, Harri Prichard 1978: *Pobl.* Llandysul: Gwasg Gomer.
Jones, Idwal 1977: *Llofrudd Da.* Llanrwst: Llyfrau Tryfan.
Jones, Idwal 1978: *Dirgelwch yr Wylan Ddu.* Llanrwst: Llyfrau Tryfan.
Jones, Idwal 1979: *Gari Tryfan v Dominus Gama.* Llanrwst: Llyfrau Tryfan.
Jones, Idwal d.d.: *Y Fainc.* Llanrwst: Llyfrau Tryfan.
Jones, John Gruffydd 1981: *Cysgodion ar y Pared.* Llandysul: Gwasg Gomer.
Jones, Marian Henry 1982: *Hanes Ewrop 1815-1871.* Caerdydd: Gwasg Prifysgol Cymru.
Jones, Rhiannon Davies 1977: *Llys Aberffraw.* Llandysul: Gwasg Gomer.
Jones, Rhiannon Davies 1985: *Dyddiadur Mari Gwyn.* Llandysul: Gwasg Gomer.
Jones, Rhiannon Davies 1987: *Cribau Eryri.* Caernarfon: Gwasg Gwynedd.
Jones, Rhiannon Davies 1989: *Barrug y Bore.* Caernarfon: Gwasg Gwynedd.
Jones, R. Gerallt 1977: *Triptych.* Llandysul: Gwasg Gomer.
Jones, R. M. 1998: *Ysbryd y Cwlwm.* Caerdydd: Gwasg Prifysgol Cymru.
Jones, Siân 1990: *Coup d'État.* Llandysul: Gwasg Gomer.
Jones, T. Llew 1977: *Lawr ar lan y Môr: Storïau am Arfordir Dyfed.* Llandysul: Gwasg Gomer.
Jones, T. Llew 1980: *O Dregaron i Bungaroo.* Llandysul: Gwasg Gomer.
Jones, W. J. 1994: *Cyfansoddiadau a Beirniadaethau Nedd a'r Cyffiniau.* Llandybïe: Gwasg Dinefwr.
Jones, W. J. 1988: *Cyfansoddiadau a Beirniadaethau Bro Ogwr.* Llandybïe: Gwasg Dinefwr.
Kidd, Ioan 1977: *Cawod o Haul.* Llandysul: Gwasg Gomer.
Lewis, Robin 1980: *Esgid yn Gwasgu.* Llandysul: Gwasg Gomer.
Lewis, Roy 1978: *Cwrt y Gŵr Drwg.* Talybont: Y Lolfa.

Lilly, Gweneth 1981: *Gaeaf y Cerrig*. Llandysul: Gwasg Gomer.
Lilly, Gweneth 1984: *Orpheus*. Llandysul: Gwasg Gomer.
Lloyd, D. Tecwyn 1988: *John Saunders Lewis: Y Gyfrol Gyntaf.* Dinbych: Gwasg Gee.
Llwyd, Alan 1984: *Gwyn Thomas*. Caernarfon: Gwasg Pantycelyn.
Llwyd, Alan 1991: *Gwae Fi Fy Myw.* Caernarfon: Cyhoeddiadau Barddas.
Llywelyn, Robin 1994: *O'r Harbwr Gwag i'r Cefnfor Gwyn*. Llandysul: Gwasg Gomer.
Llywelyn, Robin 1995: *Y Dŵr Mawr Llwyd*. Llandysul: Gwasg Gomer.
Morgan, Derec Llwyd 1972: *Barddoniaeth T. Gwynn Jones*. Llandysul: Gwasg Gomer.
Morgan, Derec Llwyd 1983: *Williams Pantycelyn*. Caernarfon: Gwasg Pantycelyn.
Nicholas, W. Rhys (gol.) 1977: *Cyfansoddiadau a Beirniadaethau Wrecsam.* Llandysul: Gwasg Gomer.
Nicholas, W. Rhys (gol.) 1984:*Cyfansoddiadau a Beirniadaethau Llanbedr Pont Steffan*. Llandysul: Gwasg Gomer.
Nicholas, W. Rhys (gol.) 1988:*Cyfansoddiadau a Beirniadaethau Casnewydd.* Llandysul: Gwasg Gomer.
Ogwen, John 1996: *Hogyn o Sling*. Caernarfon: Gwasg Gwynedd.
Owen, John Idris 1984: *Y Tŷ Haearn*. Llandysul: Gwasg Gomer.
Roberts, David 1978: *I'r Pridd Heb Arch*. Llandysul: Gwasg Gomer.
Roberts, Eigra Lewis 1980: *Mis o Fehefin*. Llandysul: Gwasg Gomer.
Roberts, Eigra Lewis 1981: *Plentyn yr Haul*. Llandysul: Gwasg Gomer.
Roberts, Eigra Lewis 1988: *Cymer a Fynnot*. Llandysul: Gwasg Gomer.
Roberts, Kate 1972: *Gobaith a Storïau Eraill*. Dinbych: Gwasg Gee.
Roberts, Kate 1976: *Yr Wylan Deg*. Dinbych: Gwasg Gee.
Roberts, Wil 1985: *Bingo*. Penygroes: Gwasg Dwyfor.
Roberts, W. O. 1987: *Y Pla*. Annwn.
Rowlands, John 1965: *Ieuenctid yw Mhechod*. Llandybïe: Christopher Davies.
Rowlands, John 1972: *Arch ym Mhrâg*. Llandybïe: Christopher Davies.
Rowlands, John 1978: *Tician Tician*. Llandysul: Gwasg Gomer.
Rhys, Beti 1988: *Crwydro'r Byd*. Dinbych: Gwasg Gee.
Simenon, Georges 1973: *Maigre'n Mynd Adre*, trosiad gan Mair Hunt. Caerdydd: Gwasg y Dref Wen.
Thomas, Gwyn 1971: *Y Bardd Cwsg a'i Gefndir*. Caerdydd: Gwasg Prifysgol Cymru.
Thomas, Gwyn 1987: *Alun Llywelyn-Williams*. Caernarfon: Gwasg Pantycelyn.
Thomas, Ned 1985: *Waldo*. Caernarfon. Gwasg Pantycelyn.
Thomas, Rhiannon 1988: *Byw Celwydd*. Llandysul: Gwasg Gomer.

Tomos, Angharad 1991: *Si Hei Lwli.* Talybont: Gwasg y Lolfa.
Tomos, Angharad 1997: *Wele'n Gwawrio*. Talybont: Gwasg y Lolfa.
Wiliam, Urien (gol.) 1974: *Storïau Awr Hamdden.* Llandybïe: Christopher Davies.
Williams, Anwen P. 1976: *Antur Elin a Gwenno*. Llandysul: Gwasg Gomer.
Williams, D. J. 1966: *Storïau'r Tir*. Llandysul: Gwasg Gomer.
Williams, Harri 1978: *Y Ddaeargryn Fawr*. Llandysul: Gwasg Gomer.
Williams, Ifor 1960: *Canu Taliesin*. Caerdydd: Gwasg Prifysgol Cymru.
Williams, J. E. Caerwyn Williams 1975- : *Ysgrifau Beirniadol*. Dinbych: Gwasg Gee.
Williams, J. G. 1978: *Betws Hirfaen.* Dinbych: Gwasg Gee.
Williams, W. Llewelyn 1948: *Gwilym a Benni Bach.* Aberystwyth: Gwasg Aberystwyth.
Williams, Marcel 1990: *Diawl y Wenallt.* Talybont: Gwasg y Lolfa.
Williams, M. E. 1992: *Hanes Eglwys Annibynnol Esgairdawe*. Abertawe: Argraffwyd gan Wasg John Penry.
Williams, R. Bryn 1973: *Agar.* Caernarfon: Llyfrfa'r M.C.
Williams, R. Bryn 1976: *Y Gwylliaid.* Abertawe: Christopher Davies.
Williams, Rhydwen 1979: *Gallt y Gofal.* Abertawe: Christopher Davies.
Williams, Waldo 1956: *Dail Pren*. Aberystwyth: Gwasg Aberystwyth.
Wyn, Eurig 1998: *Blodyn Tatws*, Talybont: Y Lolfa.

Hoffwn ddiolch i Menna Elfyn am ganiatâd i gynnwys y gerdd yn adran 40.

Mynegai

Cyfeiria'r rhifau at yr adran berthnasol.